董忠司主編
張屏生
李麗修協編
莊淑惠

《廣韻》聲類手冊

文史哲出版社印行

國立中央圖書館出版品預行編目資料

《廣韻》聲類手冊 / 董忠司主編. -- 初版 -- 臺
北市：文史哲，民８１
面； 公分
ISBN 957-547-186-5(平裝)

1. 廣韻 - 研究與教學

802.421 81006643

廣韻聲類手冊

主編者：董忠司
出版者：文史哲出版社
登記證字號：行政院新聞局局版臺業字五三三七號
發行人：彭正雄
發行所：文史哲出版社
印刷者：文史哲出版社
台北市羅斯福路一段七十二巷四號
郵撥〇五一二八八一二彭正雄帳戶
電話：三五一一〇二八
實價新台幣三五〇元

中華民國八十一年十二月初版

ISBN 957-547-186-5

《廣韻聲類手冊》序

這是一本需要讀者動手完成的手冊，就像要自己在田裏耕耘播種一樣。

我們都知道：聲韻學的教學中，有一些必需的作業和練習。其中，爲了熟悉反切下字，也爲了瞭解整理反切的基本方法——系聯，大多數的學生都做過反切下字的系聯工作。這個工作最初步的困難是：從《廣韻》過錄三千多條切語，耗時頗多。因此，便有印就切語的《廣韻作業》面世。這個《作業》基本上爲學生節省了不少時間。不過，它只提供系聯《廣韻》反切下字的機會，無法從事反切上字的系聯練習。陳師新雄因此編定《聲類新編》，分紐列字而錯乎韻，始影終微以位其聲，學者稱便。

只是，利用《聲類新編》來從事反切上字的整理，或仍有抄錄之苦，張君屛生有鑑於此，發願另作反切上字練習手冊，以減輕聲韻學作業的繁重，化解學子的皺眉。竊思今日世界學術突飛猛進，只從聲韻學一端來說，欲求通曉，除本學科以外，所需相關知識尚有：語音學、語言學、方言學、文獻學、文字學、古今漢語知識、若干境內非漢語與域外語言……等等，而這些學科的學術論著，推陳出新，紛至沓來，幾乎有目不暇接之感，因此應該在學習過程中，研究如何節省時間，快步向前。又想到：此類練習，如果在做完系聯後便擱置一旁，實在可惜，不如增加其功能，以做爲檢音或其他練習之用。因此，與屏生共同商定體例，每行之中，除編號、紐字、切語、系聯諸項以外，增列等第、開合、韻類、韻值、聲值，以觀察其聲韻配合情形與反切結構；又設「古韻」一項，以備進一步探索；設諸空白列，以備錄入各地方音而比較之，如閩南語、客家語、廣東語、吳語、北京話……等；學者也可依自己需要另行設計。現在，經過多時努力的《廣韻聲類手冊》，終於可以印出了。

這本書的刊行，除了屏生的努力外，還有李生麗修的逐字查對頁碼，莊生淑惠的精心謄寫和校勘，辛苦備嘗，功不可沒。文史哲出版社的彭正雄先生一向積極推動文化事業，願意印行這本冷門冷僻的書，也應該鄭重向他道謝。

最後，還要再說一次：這是一本必須自己動手的手冊，相信使用者在完成各項工作之後，能享受自己栽種的樂趣。

臺灣臺南 **董忠司** 序於一九九二年三月二十七日

《廣韻聲類手冊》凡例

一、本手冊乃是據《聲類新編》（以下簡稱《新編》）而寫成，凡《新編》中加圈之小紐，皆按照其次序，編寫於手冊上，而分卷與聲類之編排，亦悉與《新編》同。

二、本手冊於「廣韻」與「新編」兩欄所書寫之數字，各代表《廣韻》（澤存堂本）與《新編》二書中聲紐所在之頁數，其目的在於方便讀者查索。

三、《新編》之前身爲「古逸叢書本」《廣韻》（簡稱《古》），其避諱處有二：一爲宋廟諱，一爲清廟諱，凡省減筆畫之避諱字，本手冊亦照舊省減。

四、凡遇「聲紐」及「切語」上之問題，本手冊皆於備註欄內酌採三家校語，以供讀者參考。此三家爲：

周祖謨　《廣韻校勘記》與《廣韻校本》　（民國五十六年九月，世界書局印行）——簡稱「周校」

林　尹　《新校正切宋本廣韻》　（民國六十五年九月，黎明文化事業公司印行）——簡稱「林校」

余迺永　《互註校正宋本廣韻（校勘記）》（民國六十四年七月，聯貫出版社印行）——簡稱「余校」

凡屬以上三家之校語者，率以「※」之符號標示；而屬筆者個人之意見者，則以「△」號標示。

五、本手冊於每一聲類後皆附有「《廣韻聲類手冊》討論統計表」，可供讀者作更進一層之討論、統計與比較，而由此獲得清晰之概念。

六、凡原《聲類新編》漏列者，分別補於每聲類之末，《聲類新編》編字次第有誤者，亦分別於「備註欄」說明。

#《廣韻聲類手冊》目次

卷第五 脣音

卷第一 喉音 一、影

編號	聲紐	切語	等	開合	韻類	韻值	古韻	系聯	廣韻	新編	備註
	影	於丙							316	1	
	翁	烏紅							31	1	
	邕	於容							36	1	
	胦	握江							40	1	
	逶	於爲							42	1	
	漪	於離							49	1	
	伊	於脂							54	1	
	醫	於其							62	1	
	威	於非							64	1	
	依	於希							65	1	
	於	央居							69	2	
	紆	憶俱							79	2	
	烏	哀都							85	2	
	鷖	烏奚							89	2	
	烓	烏攜							92	2	
	蛙	烏媧							93	2	
	娃	於佳							93	2	
	挨	乙諧							94	2	
	崴	乙皆							95	2	※周校、林校作「乙乖切」。
	隈	烏恢							96	2	

編號	聲紐	切語	等	開合	韻類	韻值	古韻	系聯	廣韻	新編	備註
	哀	烏開							99	2	
	因	於眞							101	2	
	醫	於巾							106	3	
	贇	於倫							106	3	
	熅	於云							110	3	
	殷	於斤							112	3	
	鴛	於袁							115	3	
	蔫	謁言							115	3	
	昷	烏渾							117	3	
	恩	烏痕							120	3	
	安	烏寒							121	3	
	剜	一丸							124	4	
	彎	烏關							127	4	
	黰	烏閑							130	4	
	嬽	委鰥							130	4	
	煙	烏前							134	4	
	淵	烏玄							135	4	
	娟	於緣							141	4	
	焉	於乾							143	4	
	嬛	於權							143	4	※林校：「P二〇一四作於緣反」。

編號	聲紐	切語	等	開合	韻類	韻値	古韻	系聯	廣韻	新編						備註
	幺	於堯							146	4						
	要	於霄							150	4						
	妖	於喬							151	4						
	⿰幽頁	於交							154	4						
	爊	於刀							158	4						
	阿	烏何							161	4						
	倭	烏禾							164	5						
	⿰月巴	於靴							164	5						
	鴉	於加							167	5						
	窊	烏瓜							169	5						
	央	於良							177	5						
	汪	烏光							182	5						
	鴦	烏郎							182	5						
	霙	於驚							185	5						
	甖	烏莖							188	5						
	泓	烏宏							189	5						
	嬰	於盈							191	5						
	縈	於營							192	5						
	膺	於陵							199	5						
	憂	於求							202	5						

編號	聲紐	切語	等	開合	韻類	韻值	古韻	系聯	廣韻	新編	備註
	謳	烏侯							212	6	
	幽	於虯							215	6	
	愔	挹淫							218	6	
	音	於金							220	6	
	諳	烏含							221	6	
	渰	央炎							227	6	
	懕	一鹽							228	6	
	猪	乙咸							230	6	
	醃	於嚴							231	6	
	蓊	烏孔							236	6	
	擁	於隴							238	6	
	慃	烏項							240	7	
	委	於詭							241	7	
	倚	於綺							242	7	
	歖	於几							250	7	
	譩	於擬							254	7	
	扆	於豈							254	7	
	磈	於鬼							255	7	
	扵	於許							259	7	
	傴	於武							263	7	

編號	聲紐	切語	等	開合	韻類	韻值	古韻	系聯	廣韻	新編	備註
	隖	安古							266	7	
	吟	烏弟							270	7	
	矮	烏蟹							271	7	
	挨	於駭							271	7	
	猥	烏賄							271	7	
	欸	於改							274	7	
	惲	於粉							279	7	
	隱	於謹							279	7	
	偃	於幰							280	7	
	婉	於阮							281	8	
	穩	烏本							282	8	
	椀	烏管							285	8	
	綰	烏板							286	8	※林校：「此以脣音開口切喉音合口。」
	蝘	於殄							288	8	
	放	於蹇							295	8	
	杳	烏皎							296	8	△「皎」《存》从日作「晈」。
	夭	於兆							297	8	
	闄	於小							299	8	
	拗	於絞							300	8	
	襖	烏晧							303	8	

編號	聲紐	切語	等	開合	韻類	韻值	古韻	系聯	廣韻	新編	備註
	閜	烏可							305	8	
	婐	烏果							306	8	
	啞	烏下							308	8	
	鞅	於兩							310	9	
	枉	紆往							313	9	
	坱	烏朗							314	9	
	汪	烏晃							315	9	
	⿱㚘目	烏猛							317	9	
	廮	於郢							318	9	
	濙	烏迥							320	9	
	巊	烟涬							320	9	
	⿸广幼	於柳							324	9	
	歐	烏后							327	9	
	黝	於糾							327	9	
	㱃	於錦							329	9	
	晻	烏感							330	9	
	埯	烏敢							333	9	
	黶	於琰							334	9	
	奄	衣儉							335	9	
	埯	於广							336	9	

聲紐	黯	黤	瓮	雍	倚	縊	餧	恚	懿	意	尉	衣	飫	嫗	汙	翳	䌑	藹	懀	隘
編號																				
切語	乙減	於檻	烏貢	於用	於義	於賜	於僞	於避	乙冀	於記	於胃	於既	依倨	衣遇	烏路	於計	於罽	於蓋	烏外	烏懈
等																				
開合																				
韻類																				
韻值																				
古韻																				
系聯																				
廣韻	337	337	343	345	348	348	349	349	354	358	359	361	362	364	369	373	378	380	382	383
新編	9	10	10	10	10	10	10	10	10	10	10	10	10	10	10	10	10	10	11	11
備註										△「記」《存》从己聲作「記」。										

編號	聲紐	切語	等	開合	韻類	韻值	古韻	系聯	廣韻	新編	備註
	噫	烏界							384	11	
	䵳	烏快							386	11	
	喝	於犗							387	11	
	[illegible]	烏繢							388	11	
	愛	烏代							390	11	
	穢	於廢							391	11	
	印	於刃							394	11	
	醞	於問							396	11	
	[illegible]	於靳							397	11	
	怨	於願							397	11	
	堰	於建							398	11	
	搵	烏困							399	11	
	[illegible]	烏恨							400	11	
	按	烏旰							401	11	
	惋	烏貫							402	11	
	晏	烏澗							405	11	
	綰	烏患							405	12	
	宴	於甸							408	12	
	餶	烏縣							408	12	
	躽[△]	於扇							410	12	※「躽」《存》作「躽」。周校：「此字北宋巾箱本·黎本·景宋本均譌作躽。張改作躽，與故宮王韻唐韻合。」

編號	聲紐	切語	等	開合	韻類	韻值	古韻	系聯	廣韻	新編						備註
	窔	烏叫							413	12						
	要	於笑							413	12						
	靿	於敎							416	12						
	奧	烏到							418	12						
	侉	安賀							421	12						
	涴	烏臥							421	12						
	亞	衣嫁							421	12						
	攨	烏旲							424	12						
	怏	於亮							426	12						
	盎	烏浪							427	12						
	汪	烏浪							428	12						
	映	於敬							428	12						
	瀴	於孟							430	12						
	⿱穴弘	烏橫							430	12						
	櫻	鷖迸							430	12						
	鎣	烏定							432	12						※林校：「此以開口切合口。」余校：「合口字，定開口。」
	應	於證							433	12						
	漚	烏候							439	12						△「候」《存》作「候」。
	幼	伊謬							440	12						
	蔭	於禁							441	12						

編號	聲紐	切語	等	開合	韻類	韻值	古韻	系聯	廣韻	新編	備註
	晻	烏紺							442	13	
	厭	於豔							443	13	
	⿰忄弇	於驗							444	13	
	酓	於念							444	13	
	韽	於陷							445	13	
	⿰黑敢	音黯去聲							446	13	
	俺	於劒							446	13	
	屋	烏谷							448	13	※余校：「韵目作烏俗切。」
	郁	於六							458	13	
	沃	烏酷							459	13	
	渥	於角							466	13	
	一	於悉							468	13	△「悉」《存》作「悉」。
	乙	於筆							472	13	
	鬱	紆物							475	13	
	⿸广⿱殹女	於月							478	14	
	謁	於歇							479	14	
	頞	烏没							481	14	
	遏	烏葛							483	14	
	斡	烏括							486	14	△「斡」字《存》作「斡」。
	婠	烏八							488	14	

編號	聲紐	切語	等	開合	韻類	韻值	古韻	系聯	廣韻	新編	備註
	鷁	乙鎋							490	14	△「鷁」字《存》作「鷁」。
	抉	於決							493	14	
	噎	烏結							495	14	
	噦	乙劣							498	14	
	妜	於悅							500	14	
	焆	於列							500	14	
	約	於略							502	14	
	嬳	憂縛							503	15	△「縛」《存》作「縛」。
	惡	烏各							507	15	
	臒	烏郭							509	15	
	啞	烏格							511	15	
	韄	乙白							511	15	※林校：「以脣音開口切喉音合口。」余校：「三等字，白二等。」
	擭	一虢							513	15	
	戹	於革							515	15	
	益	伊昔							516	15	
	憶	於力							526	15	
	餩	愛黑							530	15	
	揖	伊入							532	15	
	邑	於汲							533	15	
	姶	烏合							536	15	

編號	聲紐	切語	等	開合	韻類	韻值	古韻	系聯	廣韻	新編	備註
	唈	烏荅							536	15	※余校：「唈與姶音同，應併。」
	鰪	安盍							538	15	
	𢿢	於輒							539	15	
	魘	於葉							540	15	
	𨂴	烏洽							544	15	
	鴨	烏甲							544	16	
	腌	於業							545	16	
	軋※	烏黠							489	14	△「軋」原在「焆」與「鷃」之間，漏書，補於此(P10．P11)。

《廣韻聲類手冊》討論統計表（二紐）

一、系聯與討論：

系聯情形	問題所在	解決過程	討論結果	備註

二、反切上字統計表：

反切上字	反切	被切字的等第與次數						合計
		一	二	三			四	
				子	丑	寅		
共　字		共	共	共	共	共	共	總

反切上字	反切	被切字的等第與次數						合計
		一	二	三			四	
				子	丑	寅		
共　字		共	共	共	共	共	共	總

卷第一喉音　二、喻

編號	聲紐	切語	等	開合	韻類	韻值	古韻	聯系	廣韻	新編	備註
	喻	羊戍							365	16	
	融	以戎							26	16	
	容	餘封							34	16	
	移	弋支							41	16	
	蘛	悅吹							50	17	
	姨	以脂							51	17	
	惟	以追							55	17	
	飴	與之							58	17	
	余	以諸							67	18	
	逾	羊朱							76	18	
	寅	翼真							104	19	
	勻	羊倫							108	19	
	延	以然							137	19	
	沿	與專							140	19	
	遙	餘昭							148	19	
	邪	以遮							165	19	
	陽	與章							170	20	
	盈	以成							190	20	
	營	余傾							190	21	
	蠅	余陵							199	21	

編號	聲紐	切語	等	開合	韻類	韻值	古韻	系聯	廣韻	新編	備註
	猷	以周							204	21	
	淫	餘針							218	21	
	鹽	余廉							225	21	
	勇	余隴							238	22	
	酏	移爾							244	22	
	蕧	羊捶							246	22	※周校：「蕧，北宋本、中箱本、景宋本作蕧，與切三、故宮王韻合。」
	唯	以水							250	22	
	以	羊已							251	22	
	與	余呂							256	22	
	庾	以主							263	22	
	佁	夷在							274	22	
	䑂	與改							274	22	
	引	余忍							276	22	
	尹	余準							277	23	
	演	以淺							290	23	
	兖	以轉							293	23	
	鷕	以沼							299	23	
	野	羊者							307	23	
	養	餘兩							310	23	
	郢	以整							318	23	

編號	聲紐	切語	等	開合	韻類	韻值	古韻	系聯	廣韻	新編	備註
	頴	餘頃							318	23	
	酉	與久							323	23	
	潭	以荏							330	24	
	琰	以冉							333	24	
	用	余頌							344	24	
	易	以鼓							347	24	△「鼓」《存》作「豉」。
	瓗	以睡							349	24	
	肄	羊至							355	24	
	遺	以醉							356	24	
	異	羊吏							357	24	
	豫	羊洳							363	24	
	鋭	以芮							376	24	
	曳	餘制							377	25	
	胤	羊晉							392	25	
	掾	以絹							410	25	
	燿	弋照							413	25	
	夜	羊謝							422	25	
	漾	餘亮							424	25	
	孕	以證							432	25	
	狖	余救							436	25	

編號	聲紐	切語	等	開合	韻類	韻值	古韻	系聯	廣韻	新編					備註
	豓	以贍							443	25					
	育	余六							455	26					
	欲	余蜀							462	26					
	逸	夷質							469	26					
	聿	餘律							473	26					
	藒	予割							484	26					
	恱	弋雪							498	26					
	抴	羊列							500	26					
	藥	以灼							501	26					
	繹	羊益							517	27					△「益」《存》作「益」。
	役	營隻							519	27					※林校：「役營隻切，隻字誤。」余校：「役合口字，隻開口。」
	弋	與職							526	27					
	熠	羊入							533	28					
	葉	與涉							538	28					
	殜	余業							546	28					
	△衍	予線							412	28					△「衍」位置有誤，應歸至「掾」(P15)後「燿」(P15)前。

《廣韻聲類手冊》討論統計表（紐）

一、系聯與討論：

系聯情形	問題所在	解決過程	討論結果	備註

二、反切上字統計表：

反切上字	反切	被切字的等第與次數						合計
		一	二	三			四	
				子	丑	寅		
共　字		共	共	共	共	共	共	總

反切上字	反切	被切字的等第與次數						合計
		一	二	三			四	
				子	丑	寅		
共　字		共	共	共	共	共	共	總

卷第一喉音 三、為

編號	聲紐	切語	等	開合	韻類	韻值	古韻	系聯	廣韻	新編	備註
	爲	薳支							41	28	※林校：「爲 薳支切，支字誤。」余校：「爲，合口字，支開口。」
	雄	羽弓							26	28	
	帷	洧悲							57	28	※林校：「帷洧悲切，此以脣音開口切喉音合口。」
	幃	雨非							63	28	※余校：「幃通褘。」
	于	羽俱							73	28	
	筠	爲贇							105	29	※林校：「…筠為贇切…移十八諄。」
	雲	王分							109	29	※周校：「雲、王分切，切三作戶分反。」
	袁	雨元							113	29	
	員	王權							142	29	
	漹	有乾							143	29	※周校：「漹 此字敦煌王韻與蔫字同在焉紐下，音於乾反。」
	鴞	于嬌							150	29	
	王	雨方							177	29	※余校：「王、合口字，方開口。」
	榮	永兵							186	29	※林校：「榮、永兵切，此以脣音開口切喉音合口。」
	尤	羽求							202	29	
	炎	于廉							227	30	
	薳	韋委							243	30	
	洧	榮美							248	30	※林校：「洧榮美切，此以脣音開口切喉音合口。」
	矣	于紀							254	30	
	韙	于鬼							255	30	
	羽	王矩							259	30	

編號	聲紐	切語	等	開合	韻類	韻值	古韻	系聯	廣韻	新編	備註
	倄	于罪							273	30	※周校：「倄字從肴，不得音于罪切，倄當是侑字之誤」余校：「倄，祭韵上聲。」
	殞	于敏							277	30	※林校：「殞于敏切，此以脣音開口切喉音合口，殞字移十七準。」
	抎	云粉							279	30	
	遠	雲阮							280	30	
	往	于兩							313	30	※林校：「往，于兩切，以開口切合口。」余校：「往，合口字，兩，開口。」
	永	于憬							316	31	
	有	云久							321	31	
	爲	于僞							346	31	
	位	于愧							350	31	※周校：「位，于愧切，故宮本敦煌本王韵作洧冀反，是以開口字切合口字也。」
	胃	于貴							359	31	
	芋	王遇							366	31	
	衛	于歲							375	31	
	運	王問							395	31	
	遠	于願							398	32	※周校：「于，北宋本、黎本、景宋本譌作子。」
	瑗	王眷							409	32	
	迋	于放							426	32	※余校：「迋，合口字，放開口。」
	詠	爲命							429	32	※林校：「此以脣音開口切喉音合口。」
	宥	于救							434	32	
	䫴	于禁							441	32	
	囿	于六							459	32	

編號	聲紐	切語	等	開合	韻類	韻值	古韻	系聯	廣韻	新編	備註
	⿺風日	于筆							471	32	※余校：「⿺風日，合口字，筆開口。」
	⿺風買	王勿							476	32	
	越	王伐							477	32	※周校：「越，王伐切，故宮王韻唐韻同。切三作戶伐反。」
	籆	王縛							503	32	
	域	雨逼							528	32	※林校：「此以脣音開口切喉音合口。」
	煜	爲立							533	32	
	曄	筠輒							540	32	

《廣韻聲類手冊》討論統計表（紐）

一、系聯與討論：

系聯情形	問題所在	解決過程	討論結果	備註

二、反切上字統計表：

反切上字	反切	被切字的等第與次數：一	二	三：子	三：丑	三：寅	四	合計
共　字		共	共	共	共	共	共	總

反切上字	反切	被切字的等第與次數：一	二	三：子	三：丑	三：寅	四	合計
共　字		共	共	共	共	共	共	總

卷第一 喉音 四、曉

編號	聲紐	切語	等	開合	韻類	韻值	古韻	系聯	廣韻	新編	備註
	曉	馨皛							296	33	
	烘	呼東							32	33	
	胷	許容							35	33	
	肛	許江							40	33	
	麾	許爲							42	33	
	隓	許規							42	33	
	犧	許羈							44	33	△「犠」《存》作「犧」。
	詑	香支							49	33	
	倠	許維							58	33	
	咦	喜夷							58	33	
	僖	許其							62	33	
	揮	許歸							63	33	
	希	香衣							65	33	
	虛	朽居							69	34	
	訏	況于							74	34	
	呼	荒烏							83	34	
	眭	呼攜							92	34	
	竵	火媧							93	34	
	瞖	火佳							94	34	
	虺	呼懷							95	34	

編號	聲紐	切語	等	開合	韻類	韻值	古韻	聯系	廣韻	新編					備註
	俙	喜皆							95	34					
	灰	呼恢							96	34					
	咍	呼來							98	34					
	薰	許云							111	34					
	欣	許斤							112	34					※余校：「韵目音許巾切。」
	暄	況袁							114	35					
	軒	虛言							115	35					
	昏	呼昆							120	35					
	頇	許干							123	35					
	歡	呼官							126	35					
	羴	許間							129	35					△「間」《存》作「閒」。
	鍹	火玄							136	35					
	祆	呼煙							136	35					
	嘕	許延							139	35					※林校：「P二○一四作許乾反。」
	翾	許緣							140	35					
	膮	許幺							146	35					
	嚻	許嬌							147	35					
	虓	許交							153	35					
	蒿	呼毛							155	36					※林校：「切三、王一、王二、全王、P二○一四作呼高反。」
	訶	虎何							161	36					

編號	聲紐	切語	等	開合	韻類	韻值	古韻	系聯	廣韻	新編	備註
	韡	許肥							164	36	
	華	呼瓜							166	36	
	煆	許加							169	36	
	香	許良							172	36	
	荒	呼光							180	36	
	炕	呼郎							182	36	
	諻	虎橫							184	36	
	脝	許庚							185	36	
	兄	許榮							186	36	
	轟	呼宏							189	36	
	眴	火營							193	36	
	馨	呼刑							195	36	
	興	虛陵							200	36	
	薨	呼肱							201	36	
	休	許尤							209	36	
	齁	呼侯							214	37	
	飍	香幽							216	37	
	歆	許金							219	37	
	峆	火含							223	37	
	蚶	呼談							225	37	

編號	聲紐	切語	等	開合	韻類	韻值	古韻	系聯	廣韻	新編	備註
	馦	許兼							229	37	
	㰹	許咸							230	37	
	⿰韋僉	虛嚴							231	37	
	嗊	呼孔							237	37	
	洶	許拱							239	37	※林校：「王二作許勇反。」
	傋	虛愉							240	37	
	毀	許委							241	37	
	⿰衤興	興倚							246	37	
	⿰目啇	火癸							250	37	△「⿰目啇」《存》作「⿰目商」。
	喜	虛里							251	37	
	虺	許偉							255	37	
	豨	虛豈							255	37	
	許	虛呂							258	37	
	詡	況羽							262	37	
	虎	呼古							266	38	
	扮	花夥							271	38	
	賄	呼罪							271	38	
	脪	興腎							278	38	※周校：「腎在軫韻。⋯敦煌王韻收入隱韻，注云：興近反⋯」林校：「脪⋯移十六軫。」余校：「腎軫韻字。」
	⿰虫憲	休謹							280	38	
	⿰忄憲	虛偃							280	38	

編號	聲紐	切語	等	開合	韻類	韻值	古韻	系聯	廣韻	新編	備註
	暅	況晚							281	38	※「暅」字《存》作「暅」。周校：「暅，此字黎本譌作暅。」
	緫	虛本							283	38	
	罕	呼旱							284	38	
	顯	呼典							289	38	
	蠉	香兖							294	38	
	好	呼晧							303	38	
	吹	虛我							304	38	
	火	呼果							307	38	
	㗿	許下							308	38	
	響	許兩							311	38	
	怳	許昉							313	39	
	慌	呼晃							315	39	
	汻	呼朗							315	39	※「朗」字周校本、余校本作「郞」。
	苀	許永							316	39	
	詗	火迥							320	39	
	朽	許久							322	39	
	吼	呼后							327	39	
	廞	許錦							330	39	
	顑	呼唵							332	39	
	喊	呼覽							333	39	

編號	聲紐	切語	等	開合	韻類	韻值	古韻	系聯	廣韻	新編	備註
	險	虛檢							333	39	
	闞	火斬							337	39	
	喊	呼豏							337	39	
	獙	荒檻							337	39	
	趬	香仲							343	39	
	烘	呼貢							344	39	
	戲	香義							348	39	
	毀	況僞							349	39	
	𧳜	許位							352	39	△「𧳜」《存》作「豷」，从「豕」不从「豸」。
	瞲	香季							355	39	※周校：「故宮本、敦煌本王韻作瞲，集韻作矊。」林校：「王一、王二、全王作許鼻反。」余校「瞲」改作「矊」。
	齂	虛器							355	39	
	侐	火季							356	39	
	憙	許記							358	39	
	諱	許貴							360	39	
	欷	許既							361	39	
	嘘	許御							363	39	
	昫	香句							365	40	
	謼	荒故							370	40	
	嘒	呼惠							374	40	
	歄	呼計							375	40	

編號	聲紐	切語	等	開合	韻類	韻值	古韻	系聯	廣韻	新編	備註
	⿰女彖	呼吠							379	40	※周校：「吠在廢韻，集韻此字入廢韻。」林校：「吠在二十廢，今移廢韻。」余校：「⿰女彖、廢韻字。」
	⿰言歲	呼會							382	40	
	餀	呼艾							383	40	
	誒	火懈							384	40	
	諣	呼卦							384	40	
	譮	許介							385	40	
	⿰豕舌	火怪							386	40	
	⿰言萬	火犗							387	40	
	咶	火夬							387	40	※周校：「故宮本、敦煌本王韻同。唐韻作火介反。」
	誨	荒內							388	40	
	儗	海愛							391	40	
	喙	許穢							391	40	
	衅	許覲							393	40	
	訓	許運							396	40	
	焮	香靳							397	40	
	獻	許建							398	40	
	楥	虛願							398	40	
	惛	呼悶							400	40	
	漢	呼旰							401	40	
	⿰口奐	火貫							404	40	※周校：「此字當從奐作喚。」

編號	聲紐	切語	等	開合	韻類	韻值	古韻	系聯	廣韻	新編	備註
	絢	許縣							406	40	
	韅	呼甸							409	41	※「呼」字周校本、余校本作「手」。
	⿰肅攴	火弔							413	41	※周校：「故宮王韻唐韻作歗，字從欠，與說文合，當據正。」
	孝	呼敎							415	41	
	秏	呼到							418	41	
	呵	呼箇							420	41	
	貨	呼臥							421	41	
	嚇	呼訝							421	41	
	化	呼霸							423	41	※周校：「…唐韻同，故宮本敦煌本王韻作霍霸反。」林校：「此以脣音開口切喉音合口。」
	向	許亮							425	41	
	況	許訪							426	41	※余校：「況、合口字，訪開口。」
	⿰言夆	許更							430	41	※周校：「諍、唐韻此字作諍，是也。玉篇作諍。」
	轟	呼迸							430	41	※林校：「此以脣音開口切喉音合口。」余校：「轟、合口字，迸開口。」
	敻	休正							431	41	※林校：「敻休正切，正字誤。」余校：「敻、合口字，正開口。」
	欽	許令							431	41	
	興	許應							433	41	
	齅	許救							435	41	
	蔻	呼漏							440	41	
	顱	呼紺							442	41	※周校：「敦煌王韻作顱，同。集韻顱、顱一字。」
	⿰貝甘	呼濫							443	41	

編號	聲紐	切語	等	開合	韻類	韻值	古韻	系聯	廣韻新編	備註
	脋	許欠							445 41	※周校：「敦煌王韵作盱淹反。」
	㒈	許鑑							445 41	
	嗀	呼木							451 41	
	蓄	許竹							456 41	
	熇	火酷							460 42	
	旭	許玉							461 42	
	吒	許角							467 42	
	欯	許吉							469 42	
	肸	羲乙							473 42	△「羲」字《存》作「羲」。
	獝	況必							473 42	
	𢪛	許聿							474 42	※周校：「此字當從戌作𢪛，𢪛又見月韵許月切下。」
	䬍	許勿							476 42	
	迄	許訖							477 42	
	䬂	許月							479 42	
	歇	許竭							479 42	
	忽	呼骨							481 42	
	䫘	許葛							483 42	
	豁	呼括							486 42	
	傄	呼八							489 42	
	瞎	許鎋							490 42	

編號	聲紐	切語	等	開合	韻類	韻值	古韻	系聯	廣韻	新編	備註
	血	呼決							492	42	
	奞	虎結							495	43	※周校：「奞當作奞，从大旨。故宮王韵唐韵譌作奞。」
	旻	許劣							500	43	
	娎	許列							500	43	
	矆	許縛							503	43	
	謔	虛約							504	43	
	臛	呵各							507	43	
	霍	虛郭							508	43	
	虩	許郤							511	43	
	赫	呼格							511	43	
	諕	虎伯							512	43	※林校：「此以脣音開口切喉音合口。」
	剨	呼麥							514	43	※周校：「切三故宮本敦煌本王韵唐韵作騞。」林校：「此以脣音開口切喉音合口。」
	瞁	許役							519	43	
	赥	許激							524	43	
	殺	呼狊							524	44	
	赩	許極							525	44	
	洫	況逼							528	44	※林校：「以脣音開口切喉音合口。」
	黑	呼北							529	44	※林校：「王二、全王作呼德反。」
	𢧵	呼或							531	44	
	吸	許及							533	44	

編號	聲紐	切語	等	開合	韻類	韻值	古韻	系聯	廣韻	新編	備註
	欱	呼合							536	44	
	歁	呼盍							537	44	
	弽	呼牒							542	44	
	𪖙	呼洽							543	44	
	呷	呼甲							545	44	
	脅	虛業							545	44	
	孈	呼恚							349	44	△「孈」為去聲，應置於「毀」(P31)「豷」之間。
	荒	呼浪							428	44	△「荒」為去聲，應置於「況」(P33)「諱」之間。林校：「荒呼浪切，浪字誤。」余校：「荒合口字，浪開口。」
	醯	呼雞							90	34	△「醯」原在「呼」(P26)「眭」之間，漏書，補於此。
	海	呼改							273	38	△「海」原在「賄」(P29)「脪」之間，漏書，補於此。

《廣韻聲類手冊》討論統計表（紐）

一、系聯與討論：

系聯情形	問題所在	解決過程	討論結果	備註

二、反切上字統計表：

合計	被切字的等第與次數						反切	反切上字
	四	三			二	一		
		寅	丑	子				
總	共	共	共	共	共	共		共　字

合計	被切字的等第與次數						反切	反切上字
	四	三			二	一		
		寅	丑	子				
總	共	共	共	共	共	共		共　字

卷第一喉音 五、匣

編號	聲紐	切語	等	開合	韻類	韻值	古韻	系聯	廣韻	新編					備註
	匣	胡甲							544	44					
	洪	戶公							30	44					
	⿰石宮	戶冬							33	44					
	栙	下江							39	45					
	胡	戶吳							81	45					
	奚	胡雞							89	45					
	攜	戶圭							92	45					
	⿰忄彖	戶佳							92	45					
	鼃	戶媧							94	46					
	諧	戶皆							94	46					
	懷	戶乖							94	46					
	回	戶恢							96	46					
	孩	戶來							100	46					
	礥	下珍							102	46					※余校：「礥，三等字，下，匣母。」
	䰟	戶昆							116	46					
	痕	戶恩							120	46					
	寒	胡安							120	46					
	桓	胡官							123	47					△「桓」字《存》作「栢」。
	還	戶關							127	47					
	閑	戶瞷							129	47					△「閑」《存》作「戶間切」。

編號	聲紐	切語	等	開合	韻類	韻值	古韻	系聯	廣韻	新編	備註
	湲	獲頑							130	47	
	賢	胡田							133	47	※林校:「切三、全王作胡千反。」
	玄	胡涓							136	47	
	肴	胡茅							151	48	
	豪	胡刀							154	48	
	何	胡歌							161	48	
	和	戶戈							163	48	
	華	戶花							165	48	
	遐	胡加							167	48	
	黃	胡光							181	49	
	航	胡郎							182	49	
	橫	戶盲							184	49	※林校:「以脣音開口切喉音合口。」余校:「橫,合口字,盲,開口。」
	行	戶庚							187	49	
	宏	戶萌							188	49	※林校:「以脣音開口切喉音合口。」余校:「宏,合口字,萌,開口。」
	莖	戶耕							188	50	
	刑	戶經							193	50	※周校:「刑,各本作刑,是也。」《古》作「刑」,《存》作「刑」。
	熒	戶扃							198	50	
	弘	胡肱							201	50	
	恒	胡登							202	50	△「恒」《存》作「恆」
	侯	戶鉤							212	50	

編號	聲紐	切語	等	開合	韻類	韻值	古韻	系聯	廣韻	新編	備註
	含	胡男							222	51	
	酣	胡甘							224	51	
	嫌	户兼							229	51	
	咸	胡讒							229	51	
	銜	户監							230	51	
	澒	胡孔							236	51	
	項	胡講							240	51	
	戶	侯古							267	51	
	徯	胡禮							269	52	
	蟹	胡買							270	52	
	夥	懷卄							271	52	
	駭	侯楷							271	52	
	瘣	胡罪							272	52	
	亥	胡改							274	52	
	混	胡本							282	52	
	很	胡墾							283	52	
	旱	胡笴							283	52	※余校：「韵目作河滿切。」
	緩	胡管							285	52	
	僩	下赧							286	52	
	晥	户板							286	52	※林校：「以脣音開口切喉音合口。」

編號	聲紐	切語	等	開合	韻類	韻值	古韻	系聯	廣韻	新編	備註
	限	胡簡							287	53	
	峴	胡典							289	53	
	泫	胡畎							289	53	
	皛	胡了							296	53	
	澩	下巧							299	53	
	晧	胡老							301	53	
	荷	胡可							304	53	
	禍	胡果							307	53	
	下	胡雅							308	53	
	踝	胡瓦							309	53	
	沆	胡朗							314	54	
	晃	胡廣							315	54	
	覽	胡懺							445	54	△「覽」位置有誤，應歸於「陷」(P37)後「穀」前。「懺」《存》作「懺」。
	杏	何梗							316	54	
	卝	手瞢							317	54	※林校：「瞢字開口，卝字合口亦誤也。」
	幸	胡耿							317	54	
	迥	户頂							319	54	※林校：「迥户頂切，迥字誤。」余校：「迥，合口字，頂開口。」
	婞	胡頂							320	54	
	厚	胡口							325	54	
	頷	胡感							331	54	

編號	聲紐	切語	等	開合	韻類	韻值	古韻	系聯	廣韻	新編						備註
	鼸	胡忝							336	54						
	⿰足兼	下斬							336	54						
	檻	胡黤							337	54						
	哄	胡貢							344	54						
	硡	乎宋							344	54						
	巷	胡絳							345	54						
	護	胡誤							368	54						
	蒵	胡計							372	55						
	慧	胡桂							373	55						
	害	胡蓋							380	55						
	會	黃外							381	55						
	邂	胡懈							383	55						
	畫	胡卦							383	55						
	械	胡介							385	55						
	壞	胡怪							386	55						
	話	下快							386	55						
	敳	何犗							387	55						
	潰	胡對							388	55						
	蚚	胡輩							389	55						※余校：「蚚與潰音同，應併。」
	瀣	胡槩							390	55						

編號	紐聲	切語	等	開合	韻類	韻值	古韻	系聯	廣韻	新編	備註
	慁	胡困							399	55	
	恨	胡艮							400	56	
	翰	侯旰							400	56	
	換	胡玩							402	56	
	骭	下晏							405	56	
	患	胡慣							405	56	
	莧	侯襇							406	56	※周校：「北宋本、黎本譌作襇，中箱本不誤。」「襇」字《存》作「襇」。
	幻	胡辨							406	56	
	縣	黃練							406	56	※周校：「縣練韵不同類，故宮王韵作玄絢反，是也。」「練」改為「絢」。林校本同。余校：「縣，合口字，練，開口。」
	見	胡甸							408	56	
	效	胡教							415	56	
	号	胡倒							417	56	※周校：「北宋本、中箱本、黎本、景宋本作倒，張改作到，與故宮本敦煌本王韵唐韵合。」
	賀	胡箇							419	56	
	和	胡卧							420	57	
	暇	胡駕							422	57	
	摦	胡化							423	57	
	吭	下浪							427	57	
	潢	乎曠							428	57	
	蝗	户孟							429	57	※林校：「以脣音開口切喉音合口。」
	行	下更							429	57	

編號	聲紐	切語	等	開合	韻類	韻值	古韻	系聯	廣韻	新編	備註
	脛	胡定							432	57	
	候	胡遘							437	57	
	憾	胡紺							441	57	
	憨	下⿰耳敢							443	57	△「⿰耳敢」《存》作「瞰」。
	陷	戶韽							445	57	
	縠	胡谷							449	57	
	鵠	胡沃							460	57	
	學	胡覺							467	57	
	麧	下没							482	58	※林校:「…為二十四痕入聲字，以字少寄於本韻(末、沒韻)，因借沒為切語下字。」
	搰	戶骨							482	58	
	曷	胡葛							482	58	
	活	戶括							486	58	
	黠	胡八							487	58	
	滑	戶八							488	58	※林校:「以脣音開口切喉音合口。」
	鎋	胡瞎							490	58	
	頢	下刮							490	58	
	穴	胡決							492	58	
	纈	胡結							494	58	
	涸	下各							507	59	
	穫	胡郭							509	59	

編號	聲紐	切語	等	開合	韻類	韻值	古韻	系聯	廣韻	新編	備註
	嚄	胡伯							511	59	※林校：「此以脣音開口切喉音合口。」余校：「嚄合口字伯開口。」
	垎	胡格							512	59	
	獲	胡麥							513	59	
	覈	下革							515	59	
	檄	胡狄							521	59	
	或	胡國							530	59	
	劾	胡得							530	59	
	合	侯閤							534	59	
	盍	胡臘							536	59	
	協	胡頰							541	60	
	洽	侯夾							542	60	

《廣韻聲類手冊》討論統計表（紐）

一、系聯與討論：

系聯情形	問題所在	解決過程	討論結果	備註

二、反切上字統計表：

反切上字	反切	被切字的等第與次數						合計
		一	二	三			四	
				子	丑	寅		
共　字		共	共	共	共	共	共	總

反切上字	反切	被切字的等第與次數						合計
		一	二	三			四	
				子	丑	寅		
共　字		共	共	共	共	共	共	總

卷第二 牙音 一見

編號	聲紐	切語	等	開合	韻類	韻值	古韻	系聯	廣韻	新編	備註
	見	古電							407	61	
	弓	居戎							25	61	
	公	古紅							27	61	
	攻	古冬							33	62	
	恭	九容							37	62	
	江	古雙							38	62	
	嬀	居爲							42	62	
	羈	居宜							46	62	
	[illegible]	居隋							50	62	
	飢	居夷							52	63	
	龜	居追							55	63	
	姬	居之							61	63	
	機	居依							65	63	
	歸	舉韋							66	63	
	居	九魚							66	63	
	拘	舉朱							80	63	
	孤	古胡							82	63	
	雞	古奚							89	64	
	圭	古攜							91	64	
	佳	古膎							92	64	

編號	聲紐	切語	等	開合	韻類	韻值	古韻	系聯	廣韻	新編	備註
	媧	古蛙							93	64	
	皆	古諧							94	64	
	乖	古懷							94	64	
	傀	公回							97	64	
	該	古哀							99	64	
	巾	居銀							105	65	
	麐	居筠							105	65	※林校：「麐居筠切，移十八諄。」
	均	居匀							108	65	
	君	舉云							111	65	
	斤	舉欣							112	65	
	攑	居言							115	65	
	昆	古渾							116	65	
	根	古痕							120	65	
	干	古寒							122	65	
	官	古丸							125	66	
	關	古還							127	66	
	姦	古顏							128	66	
	鰥	古頑							129	66	
	閒	古閑							129	66	※余校：「閒，通同閑。」
	堅	古賢							133	66	

編號	聲紐	切語	等	開合	韻類	韻值	古韻	系聯	廣韻	新編						備註
	涓	古玄							135	66						
	甄	居延							138	66						
	勬	居貟							143	66						
	驍	古堯							145	66						
	驕	舉喬							147	67						△「驕」「喬」《存》从「夭」作「驕」、「喬」。
	交	古肴							152	67						
	高	古勞							155	67						
	歌	古俄							159	67						
	戈	古禾							161	67						
	迦	居伽							164	68						※周校：「注『切』字黎本脫。…迦又見麻韵古牙切下，與『加』音同。」
	瓜	古華							166	68						
	嘉	古牙							166	68						
	薑	居良							173	68						
	岡	古郎							180	68						
	光	古黃							181	68						
	庚	古行							183	69						
	觵	古橫							184	69						
	驚	舉卿							186	69						
	耕	古莖							187	69						
	經	古靈							193	69						

編號	聲紐	切語	等	開合	韻類	韻值	古韻	系聯	廣韻	新編	備註
	扃	古螢							198	69	
	兢	居陵							200	69	
	肱	古弘							201	69	
	揯	古恒							202	69	△「揯」「恒」《存》皆作「搄」「恆」。
	鳩	居求							208	69	
	鉤	古侯							214	69	
	樛	居虯							216	70	
	金	居吟							219	70	
	弇	古南							223	70	
	甘	古三							223	70	
	兼	古甜							229	70	
	緘	古咸							229	70	
	監	古銜							231	70	
	拱	居悚							239	70	
	講	古項							240	71	
	詭	過委							242	71	※周校：「切三及故宮王韻作居委反。」
	掎	居綺							243	71	
	枳	居帋							247	71	
	几	居履							247	71	
	軌	居洧							248	71	

編號	聲紐	切語	等	開合	韻類	韻值	古韻	系聯	廣韻	新編	備註
	癸	居誄							249	71	※周校：「故宮王韻作居履反，是以開口字切合口字也。」
	紀	居理							251	71	
	蟣	居狶							255	71	※周校：「故宮王韻此字入止韻。」
	鬼	居偉							255	71	
	舉	居許							259	71	
	矩	俱雨							263	72	
	古	公戶							265	72	
	解	佳買							271	72	
	丫	乖買							271	72	※林校：「此以脣音開口切牙音合口。」
	改	古亥							274	72	
	緊	居忍							276	72	
	謹	居隱							279	72	
	湕	居偃							280	72	
	鯀	古本							282	72	
	頣	古很							283	72	
	笴	古旱							284	72	
	管	古滿							285	73	
	簡	古限							287	73	
	繭	古典							288	73	
	𡿨	姑泫							289	73	

編號	聲紐	切語	等	開合	韻類	韻值	古韻	系聯	廣韻	新編	備註
	卷	居轉							293	73	※周校：「切三作古轉反。」
	皎	古了							295	73	
	矯	居夭							298	73	△「矯」「夭」《存》作「矯」「夭」。
	絞	古巧							300	73	
	暠	古老							302	74	
	哿	古我							304	74	
	果	古火							305	74	
	檟	古疋							308	74	
	寡	古瓦							309	74	△「寡」《存》从「頁」作「寡」。
	繈	居兩							311	74	
	獷	居往							312	74	
	臩	俱往							313	74	※周校：「故宮王韻此字音渠往反。」
	廣	古晃							313	74	
	骯	各朗							315	74	
	梗	古杏							315	74	
	警	居影							316	74	
	憬	俱永							316	74	
	礦	古猛							317	74	※林校：「此以脣音開口切牙音合口。」
	耿	古幸							317	75	
	頸	居郢							318	75	

編號	聲紐	切語	等	開合	韻類	韻值	古韻	系聯	廣韻	新編						備註
	熲	古迴							319	75						
	剄	古挺							320	75						
	久	舉有							322	75						
	苟	古厚							326	75						
	糾	居黝							328	75						
	錦	居飲							329	75						
	感	古禫							330	75						
	敢	古覽							332	75						
	檢	居奄							334	75						※周校：「故宮王韻此紐入广韻。」林校：「…檢居奄切，…今據王二移五十二儼。」
	孂	兼玷							336	75						
	鹻	古斬							336	75						※周校：「古，切三譌作苦。」
	貢	古送							342	75						
	供	居用							345	75						
	絳	古巷							345	75						
	䝯	詭僞							346	76						
	寄	居義							347	76						
	馶	居企							349	76						
	瞡	規恚							349	76						
	媿	俱位							352	76						
	冀	几利							353	76						※周校本、余校本「几」作「儿」。

編號	聲紐	切語	等	開合	韻類	韻值	古韻	系聯	廣韻	新編	備註
	季	居悸							354	76	
	記	居吏							358	76	
	貴	居胃							358	76	
	旣	居豙							361	76	※周校：「故宮本敦煌本王韻唐韻均作居未反，是以合口字切開口字也。」
	據	居御							361	76	
	屨	九遇							364	76	
	顧	古暮							368	76	
	計	古詣							372	77	
	桂	古惠							373	77	
	劌	居衛							377	77	
	猘	居例							379	77	
	蓋	古太							380	77	
	儈	古外							381	77	※林校：「此以脣音開口切牙音合口。」
	卦	古賣							383	77	
	懈	古隘							383	77	
	怪	古壞							384	77	
	誡	古拜							384	78	
	夬	古賣							386	78	※周校：「賣在夬韻，以賣切夬非也。故宮王韻唐韻均作古邁反，當據正。」林校：「賣在十五卦，今據王二、全王、P三六九六、唐韻正作古邁切。惟此亦以脣音開口(邁)切牙音合口(夬)。」余校：「賣在卦韻，韻目作古邁切。」
	憒	古對							388	78	
	犗	古喝							387	78	※周校：「故宮王韻作古邁反。」林校：「王二、全王作古邁反。」

編號	聲紐	切語	等	開合	韻類	韻值	古韻	聯系	廣韻	新編	備註
	漑	古代							390	78	
	呁	九峻							394	78	※周校：「峻本書在稕韻，呁亦當入稕韻。」林校：「呁九峻切移二十二稕。」余校：「峻在稕韻。」
	攈	居運							396	78	
	靳	居焮							397	78	
	建	居万							398	78	※林校：「此以脣音合口切牙音開口。」
	攣	居願							399	78	※周校：「元泰定本、明本、楝亭本作攣，與說文合，當據正。」
	睔	古困							399	78	
	艮	古恨							400	78	
	旰	古案							401	78	
	貫	古玩							402	78	
	諫	古晏							404	79	
	慣	古患							405	79	
	襇	古莧							406	79	
	鰥	古幻							406	79	
	睊	古縣							407	79	
	絹	吉掾							409	79	※周校：「故宮王韵作吉掾反，唐韵作古緣反。」
	眷	居倦							410	79	
	叫	古弔							412	79	
	教	古孝							415	79	
	誥	古到							417	79	

編號	聲紐	切語	等	開合	韻類	韻值	古韻	系聯	廣韻	新編	備註
	箇	古賀							419	79	
	過	古卧							420	79	
	駕	古訝							421	80	
	坬	古罵							424	80	※林校：「此以脣音開口切牙音合口。」
	誑	居況							426	80	
	彊	居亮							427	80	
	桄	古曠							428	80	
	鋼	古浪							428	80	
	敬	居慶							428	80	
	更	古孟							429	80	
	勁	居正							430	80	
	徑	古定							431	80	
	亘	古鄧							433	80	
	救	居祐							434	80	
	遘	古候							439	80	
	禁	居蔭							441	80	
	紺	古暗							441	80	
	[illegible]	古蹔							443	81	
	[illegible]	紀念							444	81	
	兼	古念							444	81	

編號	聲紐	切語	等	開合	韻類	韻值	古韻	系聯	廣韻	新編	備註
	⿰齒臽	公陷							445	81	
	鑑	格懺							445	81	
	劒	居欠							446	81	※周校:「劒,故宮王韻入去聲五十六嚴,音覺欠反。覺,蓋舉字之誤,敦煌王韻作舉欠反。欠字亦入彼韻,音去劒反。」林校:「劒,居欠切……今移五十七釅。」
	觳	古祿							449	81	
	菊	居六							454	81	
	梏	古沃							460	81	
	輂	居玉							461	81	
	覺	古岳							464	82	
	吉	居質							469	82	
	暨	居乙							473	82	
	橘	居聿							473	82	※周校:「唐韻作居律反,音同。切三、故宮本、敦煌本王韻均作居蜜反。」
	亥	九勿							476	82	
	訖	居乙							477	82	※周校:「乙在質韻,不得切訖字。切三及故宮王韻唐韻作居乞反,是也。當據正。」林校:「乙在五質,今據切三、王二、P三六九四、唐韻正作居乞切。」
	厥	居月							478	82	
	訐	居竭							479	82	
	骨	古忽							479	82	
	葛	古達							484	83	
	括	古活							485	83	
	劀	古滑							489	83	
	戛	古黠							489	83	

編號	聲紐	切語	等	開合	韻類	韻值	古韻	系聯	廣韻	新編	備註
	刮	古頒							490	83	
	鶷	古鎋							491	83	
	結	古屑							491	83	
	玦	古穴							492	83	
	孑	居列							500	84	
	蹶	紀劣							500	84	
	腳	居勺							501	84	
	貜	居縛							503	84	※周校：「唐韻作遽縛反。」
	各	古落							506	84	
	郭	古博							509	84	※林校：「以脣音開口切牙音合口。」
	戟	几劇							510	84	
	格	古伯							512	84	
	虢	古伯							512	84	※周校：「刻本韻書五三一此字入麥韻，音古獲反。」林校：「虢古伯切，此以脣音開口切牙音合口。」余校：「虢開口字，伯合口。」
	蟈	古獲							513	84	
	隔	古核							515	85	
	激	古歷							520	85	
	郹	古闃							523	85	
	殛	紀力							526	85	
	國	古或							530	85	
	祴	古得							531	85	

編號	聲紐	切語	等	開合	韻類	韻值	古韻	系聯	廣韻	新編	備註
	急	居立							532	85	※周校:「唐韻居作古,蓋誤」
	閤	古沓							534	85	
	頡	古盍							537	85	
	砝	居盍							538	85	
	𢇍	居輒							540	85	
	頰	古協							541	85	
	夾	古洽							543	86	
	甲	古狎							544	86	
	劫	居怯							545	86	
	蹇	九輦							291	73	△「蹇」原在「く」(P53)「卷」之間,漏書,補於此。

《廣韻聲類手冊》討論統計表（紐）

一、系聯與討論：

系聯情形	問題所在	解決過程	討論結果	備註

二、反切上字統計表：

合計	被切字的等第與次數						反切	反切上字
	四	三			二	一		
		寅	丑	子				
總	共	共	共	共	共	共		共 字

合計	被切字的等第與次數						反切	反切上字
	四	三			二	一		
		寅	丑	子				
總	共	共	共	共	共	共		共 字

卷第二牙音二、溪

編號	聲紐	切語	等	開合	韻類	韻值	古韻	系聯	廣韻	新編	備註
	溪	苦奚							91	86	
	穹	去宮							26	86	
	空	苦紅							27	86	
	銎	曲恭							38	86	
	腔	苦江							40	86	
	虧	去爲							43	86	
	闚	去隨							43	86	
	攲	去奇							44	86	
	巋	丘追							58	86	
	欺	去其							61	87	
	抾	丘之							63	87	※余校：「抾與欺音同，應併。」
	蘬	丘韋							66	87	
	虛	去魚							71	87	
	區	豈俱							77	87	
	枯	苦胡							85	87	
	睽	苦圭							92	87	
	咼	苦緺							93	87	
	匯	苦淮							95	87	
	揩	口皆							95	87	
	恢	苦回							96	87	

編號	聲紐	切語	等	開合	韻類	韻值	古韻	系聯	廣韻	新編						備註
	開	苦哀							98	87						
	攑	丘言							115	87						
	坤	苦昆							120	87						
	看	苦寒							123	87						
	馯	丘姦							128	88						
	豻	可顏							128	88						※余校：「豻應併馯下。」
	慳	苦閑							129	88						
	巏	跪頑							130	88						※余校：「巏，删韻字，跪，羣母。」
	牽	苦堅							135	88						
	愆	去乾							142	88						
	弮	丘圓							143	88						
	鄡	苦幺							146	88						
	蹻	去遙							151	88						
	趫	起嚻							151	88						※余校：「本紐當併蹻下。」
	敲	口交							153	88						
	尻	苦刀							158	88						
	珂	苦何							161	88						
	科	苦禾							163	88						
	𩨰	去靴							164	88						
	佉	丘伽							164	88						

編號	聲紐	切語	等	開合	韻類	韻值	古韻	系聯	廣韻	新編					備註
	誇	苦瓜							166	88					
	齣	苦加							169	89					
	[illegible]	乞加							170	89					※余校：「[illegible]與齣音同，應併。」
	羌	去羊							173	89					
	匡	去王							177	89					
	康	苦岡							180	89					
	骯	苦光							183	89					
	阬	客庚							184	89					
	卿	去京							186	89					
	鏗	口莖							187	89					
	輕	去盈							192	89					
	傾	去營							192	89					
	硱	綺兢							200	89					
	怵	去秋							206	89					※周校：「怵字集韻類篇作怵，此從忄作怵，誤。」余校：「怵，幽韻字。」
	丘	去鳩							207	89					
	彄	恪侯							214	90					
	欽	去金							219	90					
	龕	口含							222	90					△「含」周校本、余校本誤作「今」。
	坩	苦甘							224	90					
	[illegible]	丘廉							227	90					

編號	聲紐	切語	等	開合	韻類	韻值	古韻	系聯	廣韻	新編						備註
	謙	苦兼							229	90						
	鵮	苦咸							230	90						
	嵌	口銜							231	90						
	欦	丘嚴							231	90						
	孔	康董							236	90						
	恐	丘隴							239	90						
	跪	去委							242	90						
	綺	墟彼							243	90						
	跬	丘弭							246	90						※林校：「此以脣音開口切牙音合口。」
	企	丘弭							246	90						※余校：「企，開口字，弭合口。」
	巋	丘軌							250	90						△案《古》「軌」誤从「九」作「軌」。
	起	墟里							253	91						
	豈	袪狶							255	91						※周校：「故宮王韻此紐入止韻，作氣里反，是唐代方言中此類字有與止韻音同者。」
	去	羌舉							259	91						
	齲	驅雨							263	91						
	苦	康杜							267	91						
	啓	康禮							269	91						
	芌	苦蟹							270	91						※周校：「芌，各本作芓，與切三合。」案，《存》作「芌」，《古》作「芓」。
	楷	苦駭							271	91						
	䫥	口猥							272	91						

編號	聲紐	切語	等	開合	韻類	韻值	古韻	系聯	廣韻	新編	備註
	愷	苦亥							273	91	
	⿸厂緊	丘尹							278	91	
	螼	弃忍							278	91	※周校：「忍在軫韻，此螼字當入軫韻。」林校、余校同。
	⿺走囷	丘粉							279	91	
	赾	丘謹							280	91	
	言	去偃							280	91	
	綣	去阮							281	91	
	閫	苦本							283	91	
	墾	康很							283	91	※周校：「段改作貇，與說文合。」
	侃	空旱							284	91	
	款	苦管							285	92	
	齦	起限							288	92	
	犬	苦泫							290	92	
	⿱穴堅	牽繭							290	92	
	遣	去演							291	92	
	磽	苦皎							296	92	
	巧	苦敎							299	92	
	考	苦浩							303	92	
	可	枯我							304	92	
	顆	苦果							307	92	

編號	聲紐	切語	等	開合	韻類	韻值	古韻	系聯	廣韻	新編	備註
	跒	苦下							308	92	
	髁	苦瓦							309	92	
	慷	苦朗							315	92	
	⿸广惠	丘晃							315	92	※周校：「此字當作懬，懬又見苦朗切下。」案，余校本訂正之字仍誤作「⿸广惠」。
	⿱目介	苦礦							317	92	
	頃	去穎							318	92	
	謦	去挺							320	92	
	褧	口迥							320	92	
	肯	苦等							321	92	
	糗	去久							323	92	
	口	苦后							327	92	
	坅	丘甚							328	93	
	坎	苦感							331	93	
	厰	口敢							333	93	
	預	丘檢							335	93	※周校：「故宮王韵此紐入广韵。案切三及敦煌王韵均在本韵。」林校：「預丘檢切……今據王二移五十二儼。」
	脥	謙琰							335	93	
	嗛	苦簟							336	93	
	欿	丘广							336	93	※周校：「欿，故宮本敦煌本王韵作歁，是也。當據正。」
	⿸尸水	苦減							336	93	
	顲	丘檻							337	93	

編號	聲紐	切語	等	開合	韻類	韻值	古韻	系聯	廣韻	新編	備註
	凵	丘犯							338	93	
	控	苦貢							342	93	
	焪	去仲							343	93	
	恐	區用							345	93	
	企	去智							348	93	
	觖	窺瑞							349	93	
	踦	卿義							349	93	
	喟	丘愧							352	93	
	棄	詰利							353	93	
	器	去冀							354	93	
	亟	去吏							358	93	
	槩	丘畏							359	93	
	氣	去既							361	93	
	㰦	丘倨							362	93	※案：《存》作「近倨切」。周校：「北宋北、中箱本、黎本、景宋本均作丘倨切，與唐韵合，當據正。」
	驅	區遇							366	93	
	絝	苦故							369	93	
	契	苦計							373	94	
	憩	去例							378	94	
	猤	丘吠							379	94	
	檜	苦會							382	94	

編號	聲紐	切語	等	開合	韻類	韻值	古韻	系聯	廣韻	新編	備註
	磕	苦蓋							382	94	
	礊	苦賣							384	94	
	蒯	苦怪							385	94	
	烗	苦戒							386	94	
	快	苦夬							386	94	
	塊	苦對							389	94	
	慨	苦蓋							390	94	※周校：「蓋在泰韵，不得切慨字，故宮王韵作苦愛反，唐韵作苦慨反，並是。」林校：「蓋在十四泰，今據王二、全王正作苦愛切。」
	菣	去刃							393	94	
	螼	羌印							394	94	
	困	苦悶							399	94	
	侃	苦旰							401	94	
	[illegible]	口喚							404	94	
	俔	苦甸							408	94	
	譴	去戰							409	94	
	耙	區倦							412	94	※周校：「萬象名義、玉篇、集韻均作[illegible]，當據正。」
	竅	苦弔							413	94	※周校：「唐韵作古弔反，與叫字音同，非也，古字蓋苦字之譌。」
	趬	丘召							414	94	
	敲	苦教							416	94	
	鎬	苦到							418	95	
	坷	口箇							419	95	

編號	聲紐	切語	等	開合	韻類	韻值	古韻	系聯	廣韻	新編	備註
	課	苦卧							420	95	
	髂	枯駕							422	95	
	跨	苦化							424	95	
	唴	丘亮							427	95	
	抗	苦浪							428	95	
	曠	苦謗							428	95	
	慶	丘敬							429	95	
	輕	墟正							431	95	
	罄	苦定							432	95	
	䠆	丘救							437	95	
	寇	苦候							437	95	
	蹺	丘謬							440	95	
	勘	苦紺							441	95	
	闞	苦濫							442	95	
	傔	苦念							444	95	
	㪁	丘釅							445	95	
	歉	口陷							445	95	
	欠	去劒							446	95	※周校：「故宮王韻此字入去聲嚴韻。」
	哭	空谷							449	95	
	麴	驅匊							455	96	

編號	聲紐	切語	等	開合	韻類	韻值	古韻	系聯	廣韻	新編	備註
	酷	苦沃							460	96	
	曲	丘玉							463	96	
	㱿	苦角							466	96	
	詰	去吉							469	96	
	屈	區勿							476	96	
	乞	去訖							477	96	
	闕	去月							478	96	
	窟	苦骨							481	96	
	渴	苦曷							483	96	
	闊	苦栝							486	96	
	⿰咅瓜	恪八							488	96	
	⿰骨力	口滑							489	96	
	闋	苦穴							492	97	
	猰	苦結							495	97	
	揭	丘謁							498	97	
	缺	傾雪							498	97	
	卻	去約							502	97	
	躩	丘縛							504	97	
	恪	苦各							506	97	
	廓	苦郭							509	97	

備註	新編	廣韻	系聯	古韻	韻值	韻類	開合	等	切語	聲紐	編號
	97	511							綺戟	隙	
	97	511							苦格	客	
※周校：「藥韵其虐切下此字作蝍，當據正。」	97	513							上擭	⿰虫卻	
	97	514							楷革	磬	
	97	522							苦擊	燩	
	97	523							苦鶪	闃	
	97	526							乚力	⿰革亟	
	97	529							苦得	刻	
	97	533							去急	泣	
	97	536							口荅	溘	
	97	538							苦盍	榼	
	97	540							去涉	疺	
	97	541							苦協	愜	
	97	543							苦洽	恰	
	98	545							去刼	怯	
	98	546							起法	猲	
△「寬」位置有誤，應歸於「看」「豻」之間（P65）。	98	126							苦官	寬	
△「困」位置有誤，應歸至「閑」「攑」之間（P65）。	98	105							去倫	困	
△「顩」位置有誤，應歸至「埁」「廞」之間（P69）。	98	330							欽錦	顩	
△「券」位置有誤，應歸至「蠸」「困」之間（P71）。	98	397							去願	券	
△「[illegible]」原在「勒」「闕」之間（P73），漏書，補於此。	[illegible]6	[illegible]0							古害	[illegible]△	

《廣韻聲類手冊》討論統計表（　紐）

一、系聯與討論：

系聯情形	問題所在	解決過程	討論結果	備註

二、反切上字統計表：

合計	被切字的等第與次數						反切	反切上字
	四	三			二	一		
		寅	丑	子				
總	共	共	共	共	共	共		共　字

合計	被切字的等第與次數						反切	反切上字
	四	三			二	一		
		寅	丑	子				
總	共	共	共	共	共	共		共　字

卷第二 牙音 三、羣

編號	聲紐	切語	等	開合	韻類	韻值	古韻	系聯	廣韻	新編						備註
	羣	渠云							111	98						
	窮	渠弓							26	98						
	蛩	渠容							37	98						
	奇	渠羈							43	98						
	祇	巨支							44	98						
	鬐	渠脂							54	99						
	葵	渠追							55	99						※周校：「切二作渠惟反，切三及故宮王韻作渠佳反。」
	逵	渠追							56	99						
	其	渠之							60	99						
	祈	渠希							65	100						
	渠	強魚							67	100						
	衢	其俱							74	100						
	殣	巨中							103	101						
	趣	渠人							108	101						※周校：「故宮本敦煌本王韻軫韻丘忍反下有趣字，注云：『又渠人去刃二反』。此字又見震韻音去刃反，真軫震三韻相承，此亦當入真韻也。」案.林校亦移「趣」入十七真。
	勤	巨斤							112	101						
	[illegible]	巨言							116	101						
	乾	渠焉							142	101						
	權	巨負							142	101						
	喬	巨嬌							150	101						
	翹	渠遙							151	101						

編號	聲紐	切語	等	開合	韻類	韻值	古韻	系聯	廣韻	新編	備註
	伽	求迦							164	101	
	瘸	巨靴							164	101	
	強	巨良							177	101	
	狂	巨王							178	102	
	擎	渠京							187	102	△「擎」《存》作「⿱苟手」。
	瓊	渠營							193	102	
	頸	巨成							193	102	
	殑	其矜							200	102	
	裘	巨鳩							210	102	
	虯	渠幽							216	102	
	琴	巨金							219	102	
	箝	巨淹							227	103	
	鍼	巨鹽							228	103	
	⿱巩木	渠隴							239	103	
	技	渠綺							242	103	
	跪	渠委							246	103	
	揆	求癸							249	103	
	䣀	暨軌							250	103	※周校：「故宮王韻此字誤入許葵切下。」案：「軌」《古》誤从「丸」作「軌」。
	跽	暨几							250	103	
	巨	其呂							258	103	

編號	聲紐	切語	等	開合	韻類	韻值	古韻	系聯	廣韻	新編						備註
	寠	其矩							263	103						※周校：「說文從宀作寠。」
	簩	求蟹							271	103						※周校：「集韻此字作簩。」
	窘	渠殞							276	103						※林校：「窘渠殞切，移十七準下。」
	近	其謹							280	103						
	寋	其偃							280	103						
	𢍰	求晚							281	103						
	件	其輦							292	104						
	圈	渠篆							293	104						
	蜎	狂兗							294	104						
	蹻	巨夭							299	104						※周校：「敦煌王韻作巨小反，音同。切三作在小反，在字誤。」
	勥	其兩							311	104						
	俇	求往							313	104						
	痙	巨郢							318	104						
	殑	其拯							320	104						
	舅	其九							323	104						
	蟉	渠黝							328	104						
	噤	渠飲							329	104						
	儉	巨險							334	104						※周校：「故宮王韻此紐入广韻，案切三反敦煌王韻均在本韻。」林校：「…今據王二移五十二儼。」
	共	渠用							344	104						
	芰	奇寄							347	104						

編號	聲紐	切語	等	開合	韻類	韻值	古韻系聯	廣韻	新編	備註
	匱	求位						351	104	※周校：「具，北宋本、中箱本、黎本、景宋本作其，聲同一類」(案：「其」字《存》作具，《古》作其)林校同。
	臮	其冀						353	104	
	悸	其季						353	104	
	忌	渠記						358	104	
	䤒	其既						361	105	
	遽	其據						362	105	
	懼	其遇						366	105	
	偈	其憩						379	105	
	衞	渠穢						391	105	
	僅	渠遴						393	105	
	郡	渠運						396	105	
	近	巨靳						397	105	
	健	渠建						398	105	
	圈	臼万						399	105	※周校：「圈，敦煌王韻作圈，與玉篇合。」
	倦	渠卷						410	105	
	嶠	渠廟						414	105	
	翹	巨要						415	105	
	弶	其亮						426	105	
	狂	渠放						427	105	
	競	渠敬						429	105	

編號	聲紐	切語	等	開合	韻類	韻值	古韻	系聯	廣韻	新編	備註
	殑	其餧							433	105	
	舊	巨救							435	105	
	⿰⻊丩	巨幼							440	105	
	⿰舌今	巨禁							440	105	
	驧	渠竹							456	105	
	局	渠玉							461	105	
	姞	巨乙							471	105	
	倔	衢物							476	106	
	趌	其迄							477	106	
	鱖	其月							478	106	
	揭	其謁							479	106	
	傑	渠列							497	106	
	噱	其虐							503	106	
	戄	具籰							504	106	
	劇	奇逆							510	106	
	⿺走蒦	求獲							516	106	
	極	渠力							526	106	
	及	其立							532	106	
	衱	其輒							540	106	
	跲	巨業							546	106	

《廣韻聲類手冊》討論統計表（紐）

一、系聯與討論：

系聯情形	問題所在	解決過程	討論結果	備註

二、反切上字統計表：

合計	被切字的等第與次數						反切	反切上字
	四	三			二	一		
		寅	丑	子				
總	共	共	共	共	共	共		共 字

合計	被切字的等第與次數						反切	反切上字
	四	三			二	一		
		寅	丑	子				
總	共	共	共	共	共	共		共 字

卷第二牙音四疑

編號	聲紐	切語	等	開合	韻類	韻值	古韻	系聯	廣韻	新編	備註
	疑	語其							59	106	
	㟜	五東							32	106	
	儑	五盍							537	106	△「儑」位置有誤，應歸至「㬎」(P91)後「業」前。
	眰	五夾							544	106	△「眰」位置有誤，應歸至「儑」後「業」前(P92)。
	顒	魚容							36	106	
	嶷	魚力							528	107	△「嶷」位置有誤，應歸至「鷁」(P91)後「岌」前。
	危	魚為							49	107	
	狋	牛肌							58	107	
	沂	魚衣							66	107	
	巍	語韋							66	107	
	魚	語居							66	107	
	虞	虞俱							72	107	※周校：「遇(宋、虞俱切《存》作遇俱切)北宋本、黎本、景宋本作虞，虞蓋虞字之誤，元泰定本作虞。切三作語。語、虞遇聲同一類。」
	吾	五乎							83	107	
	倪	五稽							89	108	
	崖	五佳							93	108	
	[illegible]	擬皆							95	108	
	鮠	五灰							98	108	
	皚	五來							101	108	
	銀	語巾							105	108	
	[illegible]	語斤							112	108	

編號	聲紐	切語	等	開合	韻類	韻值	古韻	系聯	廣韻	新編						備註
	元	愚袁							113	108						
	言	語軒							115	109						
	僤	牛昆							119	109						
	垠	五根							120	109						
	豻	俄寒							121	109						
	岏	五丸							124	109						
	顏	五姦							128	109						
	癏	五還							128	109						
	訮	五閑							129	109						
	姸	五堅							135	109						
	堯	五聊							146	109						
	聱	五交							153	109						
	敖	五勞							158	109						
	莪	五何							160	109						
	訛	五禾							163	109						
	牙	五加							168	110						
	佽	五瓜							169	110						
	卬	五剛							183	110						
	迎	語京							187	110						
	娙	五莖							189	110						

編號	聲紐	切語	等	開合	韻類	韻值	古韻	系聯	廣韻	新編	備註
	凝	魚陵							200	110	
	牛	語求							205	110	
	齵	五婁							214	110	
	聱	語虯							216	110	
	吟	魚金							219	110	
	讝	五含							223	110	※周校:「讝,故宮本敦煌本王韻作儑。案,集韻云:「讝,或作儑。」
	𪘨	語廉							227	110	
	喦	五咸							230	110	
	巖	五銜							231	110	
	嚴	語𩕄							231	110	
	螘	魚倚							243	110	
	硊	魚毀							246	110	
	擬	魚紀							254	110	
	顗	魚豈							255	111	
	語	魚巨							256	111	
	麌	虞矩							259	111	
	五	疑古							266	111	
	垷	研啓							270	111	
	騃	五駭							271	111	
	頠	五罪							273	111	

編號	聲紐	切語	等	開合	韻類	韻值	古韻	系聯	廣韻	新編						備註
	釿	宜引							276	111						
	齳	魚吻							279	111						
	听	牛謹							280	111						
	阮	虞遠							280	111						
	言	語偃							280	111						
	[齒干]	五板							287	111						
	眼	五限							288	111						
	齞	研峴							290	111						
	齴	魚蹇							292	111						
	齩	五巧							300	111						
	[艹頁]	五老							303	111						
	我	五可							30	111						
	[女厄]	五果							307	111						※周校：「[女厄]，切三及敦煌王韻並作姽。……案本書紙韻魚毀切下止有姽字，訓同，此[女厄]蓋姽字之譌。……」
	雅	五下							308	111						
	瓦	五寡							309	112						
	仰	魚兩							311	112						
	[馬卬]	五朗							315	112						
	[目巠]	五到							320	112						
	藕	五口							326	112						
	僸	牛錦							329	112						

編號	聲紐 切語	等	開合	韻類	韻值	古韻	系聯	廣韻	新編				備註
	顉 五感							331	112				
	顩 魚檢							334	112				
	儼 魚掩							336	112				
	議 宜寄							347	112				
	僞 危睡							349	112				
	劓 魚器							352	112				
	[illegible] 魚記							358	112				
	魏 魚貴							359	112				
	毅 魚既							361	112				
	御 牛倨							361	112				
	遇 牛具							364	112				
	誤 五故							368	112				
	詣 五計							372	113				
	藝 魚祭							378	113				
	劓 牛例							379	113				
	艾 五蓋							380	113				
	外 五會							382	113				
	睚 五懈							384	113				
	[illegible] 五介							385	113				
	聵 五怪							386	113				

備註：

※周校：「故宮王韻此紐入广韻，案切三及敦煌王韻均在本韻。」林校：「…顩，魚檢切，…今據王二移五十二儼。」

※周校：「儼，切三及敦煌王韻在琰韻，切三無儼韻。故宮王韻在本韻音魚儉反，此注魯掩切當作魚掩切。魯，各本作魚不誤。掩，本書在琰韻，段改作埯，是也。當據正。」（案：《存》「儼」作「魯掩切」）林校：「…據覆元泰定本正作魚掩切。」余校：「掩在琰韻，韻目作宜奄切。」「魯」亦校為「魚」。

編號	聲紐	切語	等	開合	韻類	韻值	古韻	系聯	廣韻	新編	備註
	磑	五對							389	113	
	礙	五漑							390	113	
	刈	魚肺							391	113	
	憖	魚覲							393	113	※周校：「故宮王韻覲作靳，誤。靳在焮韻。」
	垽	吾靳							397	113	
	願	魚怨							397	113	
	甗	語堰							398	113	※周校：「堰，北宋本、中箱本、黎氏所據本、景宋本誤作偃，偃在阮韻。張改作堰，與敦煌王韻合。」
	顐	五困							400	113	
	岸	五旰							401	113	
	玩	五換							403	113	
	鴈	五晏							405	113	
	薍	五患							405	113	
	硯	吾甸							408	113	
	彥	魚變							409	113	
	顡	五弔							413	113	
	虤	牛召							414	113	
	樂	五教							416	113	
	傲	五到							417	113	
	餓	五个							419	114	
	臥	吾貨							420	114	

編號	聲紐	切語	等	開合	韻類	韻值	古韻	系聯	廣韻	新編	備註
	迓	吾駕							422	114	
	瓦	五化							424	114	
	軔	魚向							426	114	
	枊	五浪							427	114	※周校：「五，北宋本、巾箱本、楝亭本作吾，音同。」
	迎	魚敬							430	114	△「敬」《存》作「敬」。
	鞕	五爭							430	114	※周校：「爭字（案：《存》作五爭切）在耕韻，此字音五爭切誤。楝亭本作五諍切，是也。」林校：「爭在十三耕，今據至順本正作五諍切。」余校：「鞕，映韻字。」
	凝	牛餕							433	114	
	鼿	牛救							437	114	
	偶	五遘							440	114	
	吟	宜禁							441	114	
	儑	五紺							442	114	
	驗	魚窆							443	114	
	釅	魚欠							445	114	※周校：「敦煌王韻無此字，同音之𩐾音魚淹反。淹，廣韻在梵韻，敦煌王韻在本韻。……欠，敦煌王韻、唐韻均在梵韻，故宮王韻在本韻。」余校：「本韻廣韻自梵韻分出，故反切下字如欠劍等，皆分而未改也。」
	顩	玉陷							445	114	
	砡	魚菊							459	114	
	擢	五沃							461	114	
	玉	魚欲							461	114	
	嶽	五角							464	114	
	耴	魚乙							472	114	
	崛	魚勿							476	114	

編號	聲紐	切語	等	開合	韻類	韻值	古韻	系聯	廣韻	新編	備註
	疙	魚迄							477	114	
	月	魚厥							477	114	
	钀	語訐							479	114	
	兀	五忽							481	114	
	嶭	五割							484	114	
	枂	五活							485	115	
	⿰臬出	五骨							489	115	※周校:「骨在沒韻,不得切⿰臬出字。故宮本敦煌本王韻唐韻作五滑切,是也。」林校:「骨在十一沒,今據王一、王二、全王、唐韻正作五滑切。」
	齾	五鎋							490	115	
	刖	五刮							490	115	
	齧	五結							494	115	
	孽	魚列							497	115	
	虐	魚約							502	115	
	咢	五各							506	115	
	矆	五郭							509	115	
	額	五陌							511	115	
	逆	宜戟							511	115	
	鷊	五革							516	115	
	鷁	五歷							521	116	
	岌	魚及							533	116	
	㬎	五合							536	116	

編號	聲紐	切語	等	開合	韻類	韻值	古韻	系聯	廣韻	新編	備註
	業	魚怯							545	116	
	⿰山兒	五江							40	116	△「⿰山兒」位置有誤，應置於「顒」(P84)後「危」前。
	宜	魚羈							45	116	△「宜」位置有誤，應置於「危」(P84)後「犿」前。

《廣韻聲類手冊》討論統計表（一紐）

一、系聯與討論：

系聯情形	問題所在	解決過程	討論結果	備註

二、反切上字統計表：

合計	被切字的等第與次數						反切	反切上字
	四	三			二	一		
		寅	丑	子				
總	共	共	共	共	共	共		共 字

合計	被切字的等第與次數						反切	反切上字
	四	三			二	一		
		寅	丑	子				
總	共	共	共	共	共	共		共 字

卷第三　舌音

一、端

編號	聲紐	切語	等	開合	韻類	韻值	古韻	系聯	廣韻	新編	備註
	端	多官							124	117	
	東	德紅							22	117	
	冬	都宗							32	117	
	椿	都江							40	117	※余校：「椿、二等字，都，端母。」
	胝	丁尼							58	117	※周校：「切二作陟（原誤作涉）夷反，切三及故宮王韵作丁私反。」
	都	當孤							86	117	
	低	都奚							87	117	
	磓	都回							97	118	
	⿰黑臺	丁來							101	118	
	敦	都昆							118	118	
	單	都寒							121	118	
	顛	都年							134	118	
	⿸厂雚	丁全							143	118	※周校：「切韵無此字。敦煌王韵作『⿰木⿸厂雚』，注云：『出說文』案說文無⿰木⿸厂雚字。五代刻本韵書作『⿰木⿸厂雚』未詳。」余校：「⿸厂雚、知母字，丁，端母。」
	貂	都聊							144	118	
	刀	都牢							156	118	
	多	得何							159	119	
	⿰阝朵	丁戈							162	119	
	當	都郎							179	119	
	丁	當經							194	119	
	登	都滕							200	119	

編號	聲紐	切語	等	開合	韻類	韻值	古韻	系聯	廣韻	新編	備註
	兜	當侯							215	119	△「兜」《存》作「兠」。
	耽	丁含							222	119	
	擔	都甘							224	119	
	⿱髟占	丁兼							228	119	
	董	多動							235	119	
	湩	都䲵							239	119	※周校：「湩，切三無。故宮王韻有之，注云：『冬恭反，濁多，此冬之上聲。』切語下字用恭，案，恭字王韻在冬韻。」林校：「湩：係冬韻上聲字（合口洪音）。」余校：「都，一等字，冬上聲。」（案：此指湩為冬之上聲。」
	貯	丁呂							257	119	※余校：「貯，三等字，丁，端母。」
	覩	當古							265	119	
	邸	都禮							269	120	
	⿰月鬼	都罪							273	120	
	等	多改							274	120	
	亶	多旱							283	120	
	短	都管							285	120	
	典	多殄							288	120	
	鳥	都了							295	120	
	倒	都晧							302	120	
	⿰耳單	丁可							304	120	
	埵	丁果							305	120	
	觰	都賈							309	120	※余校：「觰，二等字，都，端母。」
	黨	多朗							314	120	

編號	聲紐	切語	等	開合	韻類	韻值	古韻	系聯	廣韻	新編	備註
	打	德冷							317	120	
	頂	都挺							319	120	
	等	多肯							321	121	
	斗	當口							325	121	
	默	都感							332	121	
	膽	都敢							332	121	
	點	多忝							335	121	
	湅	多貢							342	121	
	妒	當故							368	121	
	帝	都計							370	121	
	帶	當蓋							380	121	
	祋	丁外							382	121	※林校：「王一、王二、全王作都佩反。」
	對	都隊							388	121	
	戴	都代							390	122	
	頓	都困							399	122	
	旦	得按							401	122	
	鍛	丁貫							403	122	※周校：「北宋本、巾箱本、黎本、景宋本均譌從段。」案：《存》作「鍛」、《古》作「鍛」。
	弔	多嘯							412	122	
	罩	都教							415	122	※周校：「敦煌王韻作知教反，如蓋知字之誤。知教音和切也。」余校：「罩二等字，都，端母。」
	到	都導							417	122	

編號	聲紐	切語	等	開合	韻類	韻值	古韻聯系	廣韻	新編	備註
	跢	丁佐						419	122	※周校：「集韻同。敦煌王韻作丁果反，果字誤。」
	桗	都唾						421	122	
	譡	丁浪						427	122	
	矴	丁定						432	122	
	嶝	都鄧						433	122	
	鬥	都豆						438	122	
	馾	丁紺						442	122	
	擔	都濫						443	122	
	店	都念						444	122	
	㲉	丁木						450	123	
	篤	冬毒						459	123	
	蛭	丁悉						473	123	
	咄	當没						480	123	
	怛	當割						483	123	
	掇	丁括						487	123	
	窡	丁滑						488	123	
	鵽	丁刮						490	123	※余校：「鵽，二等字，丁，端母。」
	窒	丁結						496	123	
	的	都歷						521	123	
	⿰害少	丁力						528	123	

編號	聲紐	切語	等	開合	韻類	韻值	古韻	系聯	廣韻	新編	備註
	德	多則							529	123	
	答	都合							534	123	
	皶	都榼							537	124	※周校：「皶，都搕切。搕，黎本作榼，是也。」案：《存》作「搕」，《古》作《榼》。林校：「榼字在二十七合，今據古逸叢書本正作都榼切。」
	聑	丁愜							542	124	
	殿	都甸							409	124	△「殿」位置有誤，應置於「鍜」（P97）後「弔」前。

《廣韻聲類手冊》討論統計表（　紐）

一、系聯與討論：

系聯情形	問題所在	解決過程	討論結果	備註

二、反切上字統計表：

反切上字	反切	被切字的等第與次數						合計
		一	二	三			四	
				子	丑	寅		
共　字		共	共	共	共	共	共	總

反切上字	反切	被切字的等第與次數						合計
		一	二	三			四	
				子	丑	寅		
共　字		共	共	共	共	共	共	總

卷第三舌音

二、透

編號	聲紐	切語	等	開合	韻類	韻值	古韻	系聯	廣韻	新編	備註
	透	他候							439	124	
	通	他紅							31	124	
	炵	他冬							33	124	
	瑹	他胡							86	124	
	梯	土雞							90	124	
	⿰車隹	他回							98	124	
	胎	土來							100	124	
	暾	他昆							119	124	
	吞	吐根							120	124	
	灘	他干							121	124	
	湍	他端							124	125	
	天	他前							133	125	
	祧	吐彫							144	125	
	饕	土刀							156	125	
	佗	託何							160	125	
	詑	土禾							163	125	
	湯	吐郎							182	125	
	汀	他丁							197	125	
	鼟	他登							202	125	
	偷	託侯							214	126	

編號	聲紐	切語	等	開合	韻類	韻值	古韻	系聯	廣韻	新編						備註
	探	他含							222	126						
	舑	他酣							224	126						
	添	他兼							228	126						
	侗	他孔							236	126						
	土	他魯							264	126						
	體	他禮							268	126						
	骽	吐猥							272	126						
	嚎	他亥							274	126						
	畽	他袞							283	126						
	坦	他但							284	126						
	疃	吐緩							285	126						
	腆	他典							288	126						
	朓	土了							296	126						※周校：「北宋本、巾箱本作士了切，誤。切三作土烏反，敦煌王韻作吐烏反，與土了切音同。」
	討	他浩							301	126						※周校：「浩，切三作沼，誤。案，沼在小韻。」
	袉	吐可							304	126						
	妥	他果							306	126						
	矘	他朗							314	127						
	珽	他鼎							319	127						
	黈	天口							326	127						
	襑	他感							330	127						

編號	聲紐	切語	等	開合	韻類	韻值	古韻	系聯	廣韻	新編	備註
	菿	吐敢							332	127	
	忝	他玷							335	127	
	痛	他貢							343	127	
	統	他綜							344	127	
	菟	湯故							368	127	
	替	他計							371	127	
	泰	他蓋							379	127	
	娧	他外							383	127	
	退	他內							388	128	
	貸	他代							390	128	
	炭	他旦							400	128	
	彖	通貫							404	128	
	瑱	他甸							407	128	
	糶	他弔							412	128	
	拖	吐邏							420	128	
	唾	湯臥							420	128	
	儻	他浪							428	128	
	牚	他孟							430	128	
	聽	他定							432	128	
	澄	台鄧							434	128	

編號	聲紐	切語	等	開合	韻類	韻值	古韻	系聯	廣韻	新編	備註
	儨	他紺							442	128	
	㮇	他念							444	128	
	禿	他谷							450	128	
	𠬛	土骨							479	128	※周校:「此字日本宋本、巾箱本作𠬛。𠬛，蓋叟字之譌。」余校:「𠬛，衍文。」
	宊	他骨							480	128	※周校:「此字當是突字譌體，集韻突、宊一字。」
	闥	他達							483	128	
	侻	他括							487	129	
	獺	他鎋							490	129	
	鐵	他結							493	129	
	託	他各							505	129	
	逖	他歷							522	129	
	忒	他德							529	129	
	錔	他合							535	129	
	榻	吐盍							537	129	
	怗	他協							541	130	

《廣韻聲類手冊》討論統計表（紐）

一、系聯與討論：

系聯情形	問題所在	解決過程	討論結果	備註

二、反切上字統計表：

反切上字	反切	被切字的等第與次數						合計
		一	二	三			四	
				子	丑	寅		
共 字		共	共	共	共	共	共	總

反切上字	反切	被切字的等第與次數						合計
		一	二	三			四	
				子	丑	寅		
共 字		共	共	共	共	共	共	總

卷第三 舌音 三.定

聲紐	切語	等	開合	韻類	韻值	古韻	系聯	廣韻	新編	備註
定	徒經							432	130	
同	徒紅							23	130	
彤	徒冬							32	130	
徒	同都							82	131	
嗁	杜奚							87	131	
隤	杜懷							95	132	※周校：「杜，北宋本、巾箱本、黎氏所據本、景宋本作柱，誤。案，隤又見灰韵，音杜回切，可證杜字是也。」余校：「隤，二等字，杜，定母。」
穨	杜回							97	132	
臺	徒哀							99	132	
屯	徒渾							119	132	
壇	徒干							122	132	
團	度官							124	132	
田	徒年							134	132	
迢	徒聊							144	133	
陶	徒刀							157	133	
駝	徒河							159	133	
牠	徒和							162	134	
唐	徒郎							178	134	
庭	特丁							194	134	
騰	徒登							201	135	
頭	度侯							214	135	

編號	聲紐	切語	等	開合	韻類	韻值	古韻	系聯	廣韻	新編	備註
	覃	徒含							221	135	
	談	徒甘							223	135	
	甜	徒兼							228	135	
	動	徒揔							237	135	
	杜	徒古							264	135	
	弟	徒禮							269	136	
	錞	徒猥							272	136	
	駘	徒亥							274	136	
	囤	徒損							282	136	
	但	徒旱							284	136	
	斷	徒管							286	136	
	殄	徒典							288	136	
	窕	徒了							296	136	
	道	徒晧							301	136	
	爹	徒可							304	136	
	墮	他果							306	136	
	蕩	徒朗							313	137	
	瑒	徒杏							317	137	
	挺	徒鼎							319	137	
	蕍	徒口							327	137	

編號	聲紐	切語	等	開合	韻類	韻值	古韻	系聯	廣韻	新編	備註
	禫	徒感							330	137	
	噉	徒敢							332	137	
	簟	徒玷							335	137	
	湛	徒減							336	137	※余校：「湛」二等字，徒，定母。
	洞	徒弄							343	137	
	地	徒四							355	137	
	渡	徒故							367	137	
	第	特計							371	137	
	大	徒蓋							380	138	
	兊	杜外							381	138	
	隊	徒對							387	138	
	代	徒耐							389	138	
	鈍	徒困							399	138	
	憚	徒案							401	138	
	段	徒玩							403	138	
	電	堂練							407	139	
	達	唐割							484	139	△「達」位置有誤，應置於「奪」(P111)後「姪」前。
	藋	徒弔							413	139	
	導	徒到							417	139	
	惰	徒臥							421	139	

編號	聲紐	切語	等	開合	韻類	韻值	古韻	系聯	廣韻	新編	備註
	宕	徒浪							427	139	
	鄧	徒亘							433	139	
	豆	田候							438	139	※周校：「此注田下有脫字，故宮本、敦煌本王韻、唐韻豆音徒候反，此田下當補徒字。」林校：「據P三六九四、王一、王二、全王、唐韻補作徒候切。」
	醰	徒紺							442	139	
	憺	徒濫							443	140	
	磹	徒念							444	140	
	獨	徒谷							448	140	
	毒	徒沃							459	140	
	突	陀骨							480	140	
	奪	徒活							486	140	
	姪	徒結							493	140	
	馱	唐佐							419	141	△「馱」為去聲，應置於「電」(P110)後竉前。
	鐸	徒落							504	141	
	特	徒得							529	141	
	荻	徒歷							522	141	
	沓	徒合							535	141	
	蹋	徒盍							537	141	
	牒	徒協							541	141	

《廣韻聲類手冊》討論統計表（　紐）

一、系聯與討論：

系聯情形	問題所在	解決過程	討論結果	備註

二、反切上字統計表：

合計	被切字的等第與次數						反切	反切上字
	四	三			二	一		
		寅	丑	子				
總	共	共	共	共	共	共		共　字

合計	被切字的等第與次數						反切	反切上字
	四	三			二	一		
		寅	丑	子				
總	共	共	共	共	共	共		共　字

卷第三舌音四、泥

編號	聲紐	切語	等	開合	韻類	韻值	古韻	系聯	廣韻	新編	備註
	泥	奴低							91	142	
	農	奴冬							33	142	
	奴	乃都							83	142	
	搱	諾皆							95	142	※周校：「切三諸正作諾，…五代刻本韻書作女皆反，則屬娘母。」林校：「諸字誤，今據切三、全王正作諾皆切。」余校：「搱，二等字，諾，泥母。」（案《存》及《古》皆作「諾皆切」。）
	䚓	妳佳							93	142	
	懮	乃回							98	142	※周校：「懮，段氏改作㜵，本說文。」
	能	奴來							101	142	
	黁	奴昆							120	142	
	難	那干							121	142	
	奻	女還							128	142	※周校：「奻，陳澧切韻考依說文二徐本及玉篇反語正作女，正與切三合。」林校：「奴字誤，今據切三、全王正作女還切。」余校：「奻，二等字，奴，娘母。」
	秊	奴顛							134	142	
	猱	奴刀							158	142	
	那	諾何							161	142	
	捼	奴禾							163	142	
	囊	奴當							183	143	
	鬡	乃庚							187	143	
	寍	奴丁							197	143	
	能	奴登							201	143	
	羺	奴鉤							213	143	※周校：「切三及故宮王韻作女溝反。」
	南	那含							221	143	

編號	聲紐	切語	等	開合	韻類	韻值	古韻	系聯	廣韻	新編						備註
	鮎	奴兼							229	143						
	⿰犭農	奴動							237	143						
	你	乃里							254	143						※余校：「你，三等字，乃，泥母。」
	怒	奴古							267	143						
	禰	奴禮							269	143						
	嬭	奴蟹							270	143						
	餧	奴罪							273	143						
	乃	奴亥							274	143						
	⿰火内	乃本							283	143						
	煗	乃管							285	143						
	攤	奴但							286	143						※周校：「但在旱韵，攤入此韵，非是，當移入旱韵。」林校亦移「攤」入二十三旱。
	赧	奴板							286	143						※周校：「赧，當從說文作赧。」「五代刻本韵書作女板反，玉篇同。」
	撚	乃殄							289	144						
	嬲	奴鳥							296	144						※周校：「嬲，巾箱本、楝亭本作嬲，與燉煌王韵合，當據正。切三作嫐，或體也。見集韵。」
	獿	奴巧							299	144						
	堖	奴晧							302	144						※周校：「堖，說文匕部作𡿺，段氏據改。」
	⿰木褭	奴可							304	144						
	她	奴果							307	144						
	絮	奴下							309	144						
	曩	奴朗							314	144						△「郎」字《古》誤增點而成「朗」。

編號	聲紐	切語	等	開合	韻類	韻值	古韻	系聯	廣韻	新編					備註
	顭	乃挺							320	144					
	能	奴等							321	144					
	穀	乃后							326	144					
	腩	奴感							330	144					
	淰	乃玷							335	144					
	齈	奴凍							344	144					
	笯	乃故							369	144					
	泥	奴計							374	144					
	柰	奴帶							380	144					
	内	奴對							389	144					
	耐	奴代							390	144					
	嫩	奴困							399	144					※周校：「嫩北宋本、巾箱本、黎氏所據本、景宋本此字均作嫩，故宮本、敦煌本王韻同，唐韻作嫩。注云：『又作嫩，又作㜛。』王靜安先生曰：『案此字正作㜛，通作嫩，其作嫩者，則因與嫩相似而譌。』」
	攤	奴案							401	144					
	晛	奴甸							407	144					
	偄	奴亂							404	144					
	尿	奴弔							412	144					
	橈	奴教							416	144					
	腝	那到							419	144					※周校：「段依說文改作臑。敦煌王韻作臑，同。」
	奈	奴箇							419	145					
	愞	乃臥							420	145					※周校：「故宮王韻唐韻從需作懦。」

編號	聲紐	切語	等	開合	韻類	韻值	古韻	系聯	廣韻	新編						備註
	肜	乃亞							424	145						
	儴	奴浪							428	145						
	寗	乃定							431	145						
	槈	奴豆							438	145						
	賃	乃禁							441	145						
	妠	奴紺							442	145						
	念	奴店							444	145						
	褥	内沃							460	145						
	訥	内骨							482	145						
	捺	奴葛							484	145						△《存》作「奴曷切」，音同。
	湼	奴結							494	145						※案：《存》「湼」作「涅」，周校：「此字段改作湼，與日本宋本、巾箱本、黎本合。」
	諾	奴各							508	145						
	惄	奴歷							523	145						
	螚	奴勒							530	145						
	納	奴荅							536	145						
	魶	奴盍							537	145						
	苶	奴協							542	145						
	濡	乃官							123	142						△「濡」本位於「難」（P.114）「奻」之間，漏書，補於此。

《廣韻聲類手冊》討論統計表（紐）

一、系聯與討論：

系聯情形	問題所在	解決過程	討論結果	備註

二、反切上字統計表：

反切上字	反切	被切字的等第與次數						合計
		一	二	三			四	
				子	丑	寅		
共　字		共	共	共	共	共	共	總

反切上字	反切	被切字的等第與次數						合計
		一	二	三			四	
				子	丑	寅		
共　字		共	共	共	共	共	共	總

卷第三舌音五、來

編號	聲紐	切語	等	開合	韻類	韻值	古韻系聯	廣韻新編	備註
	來	洛哀					99	145	
	隆	力中					27	146	
	籠	盧紅					30	146	
	䃧	力冬					33	146	
	龍	力鍾					34	146	
	瀧	呂江					39	146	
	羸	力為					43	146	
	離	呂支					45	146	
	棃	力脂					54	147	
	灅	力追					56	147	
	釐	里之					61	147	
	臚	力居					69	147	
	慺	力朱					77	148	
	盧	落胡					84	148	
	黎	郎奚					87	148	
	唻	賴諧					95	148	
	䐛	力懷					95	148	
	雷	魯回					97	148	
	粦	力珍					103	149	
	淪	力迍					107	149	

編號	聲紐	切語	等	開合	韻類	韻值	古韻	系聯	廣韻	新編						備註
	論	盧昆							119	149						
	蘭	落干							123	149						
	鑾	落官							125	149						
	斕	力閑							130	149						
	[illegible]	力頑							130	149						
	蓮	落賢							134	150						
	連	力延							139	150						
	孿	呂員							143	150						
	聊	落蕭							145	150						
	燎	力昭							151	150						
	顟	力嘲							154	150						
	勞	魯刀							155	150						
	羅	魯何							160	151						
	蠃	落戈							163	151						
	[illegible]	縷⿰骨它							164	151						△「⿰骨它」《存》作「⿰骨比」。
	良	呂張							171	151						
	郎	魯當							179	151						
	跉	呂貞							192	152						
	靈	郎丁							195	152						
	陵	力膺							198	153						

編號	聲紐	切語	等	開合	韻類	韻值	古韻	系聯	廣韻	新編	備註
	楞	魯登							201	153	
	劉	力求							203	153	
	樓	落侯							213	154	
	鏐	力幽							216	154	
	林	力尋							217	154	※林校：「集韵作黎針切。」案：「尋」《古》从「几」不从「口」，有誤，當从口作「尋」。
	婪	盧含							222	154	
	藍	魯甘							224	154	
	廉	力鹽							225	154	
	鬑	勒兼							228	155	
	曨	力董							237	155	
	隴	力踵							237	155	
	絫	力委							242	155	
	邐	力紙							244	155	
	履	力几							249	155	
	壘	力軌							249	155	△「軌」《古》誤从「九」，應从九作「軌」。
	里	良士							252	155	
	呂	力舉							256	155	
	縷	力主							264	156	
	魯	郎古							265	156	
	禮	盧啓							268	156	

編號	聲紐	切語	等	開合	韻類	韻值	古韻	系聯	廣韻	新編	備註
	磥	落猥							272	156	
	釓	來改							274	156	
	嶙	良忍							275	156	
	耣	力準							278	156	
	怨	盧本							283	156	
	嬾	落旱							284	157	
	卵	盧管							285	157	
	輦	力展							292	157	
	臠	力兖							293	157	
	了	盧鳥							295	157	
	繚	力小							299	157	
	老	盧晧							301	157	
	櫑	來可							304	157	
	裸	郎果							306	157	
	藞	盧下							310	157	
	兩	良奬							310	157	
	朗	盧黨							314	157	
	冷	魯打							317	157	
	領	良郢							318	157	
	笭	力鼎							320	158	

編號	聲紐	切語	等	開合	韻類	韻值	古韻	系聯	廣韻	新編	備註
	柳	力久							321	158	
	塿	郎斗							327	158	
	廩	力稔							328	158	
	壈	盧感							332	158	
	覽	盧敢							332	158	
	斂	良冉							333	158	
	稴	力忝							336	158	
	臉	力減							336	158	
	弄	盧貢							342	158	
	贚	良用							345	158	
	詈	力智							346	158	
	累	良偽							347	158	
	類	力遂							351	158	
	利	力至							352	159	
	吏	力置							357	159	
	慮	良倨							361	159	
	屢	良遇							366	159	
	路	洛故							367	159	
	麗	郎計							374	159	
	例	力制							378	160	

編號	聲紐	切語	等	開合	韻類	韻值	古韻	系聯	廣韻	新編	備註
	酹	郎外							382	160	
	頼	落蓋							382	160	
	纇	盧對							389	160	
	賚	洛代							390	160	
	遴	良刃							392	160	
	論	盧困							400	160	
	爛	郎旰							401	160	
	亂	郎段							403	161	
	練	郎甸							407	161	
	戀	力卷							410	161	
	[illegible]	連彥							412	161	
	顂	力弔							413	161	
	燎	力照							414	161	
	嫪	郎到							418	161	
	邏	郎佐							419	161	
	臝	魯過							421	161	
	亮	力讓							424	161	
	浪	來宕							427	161	
	令	力政							431	161	
	零	郎定							432	161	

編號	紐聲	切語	等	開合	韻類	韻值	古韻系	廣韻	新編	備註
	餧	里甑						433	161	※周校：「里，北宋本、巾箱本、黎本、景宋本譌作黑。」
	倰	魯鄧						434	161	△「倰」《存》作「踜」。周校本改作「倰」。
	溜	力救						436	161	
	陋	盧候						439	162	
	臨	良鴆						441	162	
	顲	郎紺						442	162	※周校：「巾箱本、明本、黎本此字作顲，案，當從崙作顲。」
	濫	盧瞰						442	162	
	殮	力驗						444	162	
	稴	力店						444	162	
	禄	盧谷						450	162	
	六	力竹						454	163	
	濼	盧毒						461	163	
	犖	呂角						467	163	
	栗	力質						469	163	
	律	呂卹						474	163	
	敕	勒没						481	163	
	剌	盧達						483	163	
	捋	郎括						487	163	
	奊	練結						496	164	
	列	良辥						496	164	

編號	聲紐	切語	等	開合	韻類	韻值	古韻	系聯	廣韻	新編	備註
	劣	力輟							499	164	
	略	離灼							501	164	
	落	盧各							505	164	
	礐	力摘							516	164	
	靂	郎擊							520	164	
	力	林直							524	165	
	勒	盧則							529	165	
	立	力入							532	165	
	拉	盧合							535	165	
	臘	盧盍							536	165	
	獵	良涉							538	165	
	甄	盧協							542	166	
	[illegible]	盧穫							509	166	△「[illegible]」位置有誤，應置於「落」(P127)後「礐」前。
	録	力玉							462	163	△「録」本在「濼」(P126)「犖」之間，漏書，補於此。

《廣韻聲類手冊》討論統計表（　紐）

一、系聯與討論：

系聯情形	問題所在	解決過程	討論結果	備註

二、反切上字統計表：

合計	被切字的等第與次數						反切	反切上字
	四	三			二	一		
		寅	丑	子				
總	共	共	共	共	共	共		共 字

合計	被切字的等第與次數						反切	反切上字
	四	三			二	一		
		寅	丑	子				
總	共	共	共	共	共	共		共 字

○

卷第三舌音 六、知

編號	聲紐	切語	等	開合	韻類	韻值	古韻	系聯	廣韻	新編	備註
	知	陟離							49	166	
	腄	竹垂							50	166	△「腄」位置有誤，應置於「中」(P130)後「豬」前。
	中	陟弓							24	166	
	豬	陟魚							69	166	
	株	陟輸							75	166	
	[齒+來]	卓皆							95	166	
	珍	陟鄰							103	166	
	屯	陟綸							107	166	
	譠	陟山							130	166	
	邅	張連							138	166	
	朝	陟遙							147	166	
	嘲	陟交							154	166	
	檛	陟瓜							169	166	
	奓	陟加							169	166	
	奓	陟邪							169	167	
	張	陟良							174	167	
	趟	陟交							186	167	
	朾	中莖							188	167	
	貞	陟盈							191	167	
	徵	陟陵							200	167	△徵《存》作「徴」。

編號	聲紐	切語	等	開合	韻類	韻值	古韻	系聯	廣韻	新編						備註
	輈	張流							210	167						
	碪	知林							218	167						
	霑	張廉							227	167						
	詀	竹咸							230	167						
	冢	知隴							238	167						
	撽	陟侈							246	167						
	黹	豬几							250	167						
	徵	陟里							251	167						△《存》徵省作「徵」。
	拄	知庾							263	167						
	鬌	陟賄							273	167						
	屒	珍忍							278	167						※周校：「忍在軫韻，陳澧以為此字乃軫韻增加字，誤入此韻。」林校移屒入十六軫。
	展	知演							290	167						
	轉	陟兗							293	168						
	紾	竹下							309	168						
	𤸄	竹例							379	168						△「𤸄」屬去聲，應置於「綴」（P132）後「膇」前。
	長	知丈							313	168						※周校：「敦煌王韻作中兩反，音同。故宮王韻作丁丈反，類隔切也。」
	盯	張梗							317	168						
	肘	陟柳							322	168						
	戡	張甚							330	168						
	中	陟仲							344	168						

編號	聲紐	切語	等	開合	韻類	韻值	古韻	系聯	廣韻	新編	備註
	湩	竹用							345	168	
	戇	陟降							345	168	※周校：「故宮王韻作丁降反，類隔切也。」
	智	知義							348	168	
	娷	竹恚							349	168	※周校：「娷，集韻為諈字重文。」
	致	陟利							352	168	
	轛	追萃							356	168	
	置	陟吏							357	168	
	著	陟慮							362	168	
	註	中句							366	168	
	綴	陟衛							376	168	
	追	陟佳							55	168	△「追」為平聲，應置於「腄」後（P130）「鵻」前。
	膪	竹賣							384	168	
	顡	迍怪							386	168	
	鎮	陟刃							393	168	
	𧳜	張絞							301	168	△「𧳜」屬上聲，應置於「轉」（P131）後「縿」前。
	陟	竹力							525	168	△「陟」屬入聲，應置於「摘」（P133）後「劄」前。
	輒	陟葉							540	168	△「輒」屬入聲，應置於「陟」後「劄」前（P133）
	驏	陟扇							410	169	
	囀	知戀							411	169	
	吒	陟駕							422	169	

編號	聲紐	切語	等	開合	韻類	韻值	古韻	系聯	廣韻	新編						備註
	帳	知亮							425	169						
	倀	豬孟							430	169						
	晝	陟救							435	169						
	椹	知鴆							441	169						
	䑙	陟陷							445	169						※周校：「故宮本敦煌本王韻唐韻作都陷反。」
	竹	張六							457	169						
	瘃	陟玉							463	169						
	斲	竹角							465	169						
	窒	陟栗							470	169						
	茁	徵筆							473	169						※周校：「敦煌王韻此字音尢律反，尢當是九字之誤。集韻音厥律切，九厥聲同一類。」
	怴	竹律							474	170						
	哳	陟鎋							491	170						
	晢	陟列							497	170						
	輟	陟劣							499	170						
	芍	張略							504	170						
	磔	陟格							510	170						
	縶	陟立							532	170						
	䵂	竹益							520	170						
	擿	陟革							515	170						
	劄	竹洽							544	170						

一、系聯與討論：

《廣韻聲類手冊》討論統計表（紐）

系聯情形	問題所在	解決過程	討論結果	備註

二、反切上字統計表：

反切上字	反切	被切字的等第與次數						合計
		一	二	三			四	
				子	丑	寅		
共　字		共	共	共	共	共	共	總

反切上字	反切	被切字的等第與次數						合計
		一	二	三			四	
				子	丑	寅		
共　字		共	共	共	共	共	共	總

卷第三 舌音 七、徹

編號	聲紐	切語	等	開合	韻類	韻值	古韻	系聯	廣韻	新編	備註
	徹	丑列							500	170	
	忡	敕中							25	170	
	蹱	丑凶							36	170	
	惷	丑江							40	170	
	摛	丑知							48	170	
	絺	丑飢							53	170	
	癡	丑之							62	171	
	攄	丑居							69	171	
	貙	敕俱							75	171	※余校改為「貙」。
	扠	丑佳							94	171	
	搋	丑皆							95	171	
	獜	丑人							101	171	
	椿	丑倫							106	171	
	脠	丑延							138	171	
	猭	丑緣							142	171	
	超	敕宵							147	171	
	颩	敕交							154	171	
	侘	敕加							169	171	
	薚	褚羊							178	171	※周校：「褚當作楮。」林校：「褚字誤，今據覆元泰定本正作楮羊切。」
	瞠	丑庚							185	171	

編號	聲紐	切語	等	開合	韻類	韻值	古韻	系聯	廣韻	新編					備註
	檉	丑貞							191	171					
	僜	丑升							200	171					
	抽	丑鳩							206	171					
	琛	丑林							217	171					
	覘	丑廉							227	171					
	寵	丑隴							237	171					
	褫	敕豸							246	171					
	⿰馬隶	楮几							250	171					※周校：「此字當從玉篇作騄，右旁录，即彔之俗體。」
	恥	敕里							254	171					
	楮	丑呂							257	171					
	辴	丑忍							275	172					
	偆	癡準							278	172					
	搌	丑善							295	172					
	巐	丑小							297	172					
	⿱票米	丑寡							310	172					※周校：「集韵此字作⿱稞米，是也。⿱稞米，從米稞聲。」
	奼	丑下							310	172					
	袓	丑兩							312	172					
	逞	丑郢							318	172					
	庱	丑拯							320	172					
	丑	敕久							322	172					

編號	聲紐	切語	等	開合	韻類	韻值	古韻	系聯	廣韻	新編	備註
	踸	丑甚							328	172	
	諂	丑琰							334	172	
	僴	丑減							337	172	
	儞	丑犯							338	172	※周校：「儞，集韻作僴。」
	蹱	丑用							345	172	
	惷	丑絳							345	172	
	杘	丑利							353	172	
	眙	丑吏							357	172	
	絮	抽據							363	172	
	閏	丑注							366	172	※周校：「北宋本、巾箱本、黎氏所據本、棟亭本、景宋本均作閏，張改與集韻合。」
	遳	丑戾							374	172	△「戾」《古》誤作「戻」。
	跇	丑例							379	172	
	蠆	丑犗							387	172	
	疢	丑刃							394	172	
	屖	丑晏							405	172	
	猭	丑戀							410	172	
	朓	丑召							415	172	
	趠	丑教							416	172	
	詑	丑亞							422	172	
	悵	丑亮							425	172	

編號	聲紐	切語	等	開合	韻類	韻值	古韻	系聯	廣韻	新編	備註
	逭	丑鄭							431	172	△「逭」《存》作「逭」。
	覿	丑證							433	172	
	畜	丑救							436	172	
	闖	丑禁							441	172	
	覘	丑豔							444	172	
	蓄	丑六							459	172	
	楝	丑玉							463	173	
	逴	敕角							467	173	
	抶	丑栗							469	173	
	黜	丑律							474	173	
	頌	丑刮							490	173	
	彼	丑悅							498	173	
	皀	丑略							502	173	
	坼	丑格							511	173	
	彳	丑亦							520	173	※林校：「王二作丑尺反。」
	歜	丑歷							524	173	
	敕	恥力							524	173	
	湁	丑入							533	173	
	鍤	丑輒							540	173	
	⿱亠⿱囟皿	丑凶							544	173	※周校：「日本宋本、黎本作⿱卤皿，與類篇合。」案，《存》作⿱亠⿱卤皿。

編號	
聲紐	[illegible]
切語	丑法
等	
開合	
韻類	
韻值	
古韻	
系聯	
廣韻	546
新編	173
備註	

《廣韻聲類手冊》討論統計表（紐）

一、系聯與討論：

系聯情形	問題所在	解決過程	討論結果	備註

二、反切上字統計表：

合計	被切字的等第與次數						反切	反切上字
	四	三			二	一		
		寅	丑	子				
總	共	共	共	共	共	共		共 字

合計	被切字的等第與次數						反切	反切上字
	四	三			二	一		
		寅	丑	子				
總	共	共	共	共	共	共		共 字

卷第三 舌音 八、澄

編號	聲紐	切語	等	開合	韻類	韻值	古韻	系聯	廣韻	新編	聲值	備註
	澄	直庚							186	173		
	蟲	直弓							24	173		
	幢	宅江							40	173		
	袒	丈莧							406	174		△「袒」為去聲，應置於「⿰阝敫」（P145）後「傳」前。
	馳	直離							49	174		
	墀	直尼							53	174		
	鎚	直追							58	174		
	治	直之							62	174		
	除	直魚							70	174		
	廚	直誅							80	174		
	陳	直珍							104	174		
	䣞	直倫							106	174		
	窒	墜禎							130	175		
	⿰犭𢇍	直閑							130	175		
	纏	直連							138	175		
	椽	直攣							143	175		
	鼂	直遙							147	175		
	⿰禾兆	直交							154	175		
	宷	宅加							168	175		
	長	直良							174	175		

編號	聲紐	切語	等	開合	韻類	韻值	古韻	系聯	廣韻	新編	備註
	橙	宅耕							189	175	
	呈	直貞							192	175	
	澂	直陵							198	175	
	儔	直由							209	175	
	沈	直深							217	176	
	㚲	直廉							228	176	
	重	直隴							238	176	
	豸	池爾							244	176	
	雉	直几							249	176	
	峙	直里							253	176	
	佇	直呂							256	176	
	柱	直主							262	176	
	廌	宅買							270	176	
	拏	丈夥							271	176	
	紖	直引							275	176	
	篆	持兗							294	176	
	邅	除善							295	176	
	肇	治小							297	176	
	丈	直兩							312	177	
	徎	丈井							319	177	

編號	發紐	切語	等	開合	韻類	韻值	古韻	系聯	廣韻	新編	備註
	紂	除柳							323	177	
	朕	直稔							328	177	
	仲	直衆							343	177	
	重	柱用							345	177	
	[illegible]	直絳							345	177	
	縋	馳僞							348	177	
	緻	直利							353	177	
	墜	直類							356	177	
	值	直吏							356	177	
	箸	遲倨							362	177	
	住	持遇							364	178	
	滯	直例							378	178	
	鐍	除芮							379	178	※周校：「集韵此字作[illegible]。」林校亦據集韵正作[illegible]。
	[illegible]	除邁							387	178	
	敶	直刃							393	178	
	牒	直葉							539	178	△「牒」為入聲，應置於「蟄」(P146)「渫」之間。
	傳	直戀							411	178	
	邅	持碾							412	178	
	召	直照							414	178	
	棹	直教							416	178	

編號	聲紐	切語	等	開合	韻類	韻值	古韻系	廣韻	新編	備註
	蛇	除駕						424	178	
	仗	直亮						425	178	
	鋥	除更						430	178	
	鄭	直正						430	178	
	瞪	丈證						433	178	※周校：「故宮本敦煌本王韻作眙。」
	胄	直祐						434	178	
	鴆	直禁						440	178	
	賺	佇陷						445	178	
	逐	直六						454	178	
	躅	直録						462	178	
	濁	直角						466	178	
	秩	直一						468	179	
	术	直律						474	179	
	轍	直列						499	179	
	著	直略						504	179	
	宅	場伯						512	179	※周校：「場，日本宋本巾箱本景宋本作瑒，切三故宮王韻唐韻同。…張改作瑒，是也。」
	擲	直炙						518	179	
	直	除力						524	179	
	蟄	直立						532	179	
	鬌	直垂						42	179	△「鬌」為平聲，應置於「馳」(P.43)後「墀」前。

編號	聲紐	切語	等	開合	韻類	韻值	古韻	系聯	廣韻	新編	備註
	渫	文甲							544	179	
	重	直容							36	179	△「重」為平聲，應置於「蟲」後（p143）「幢」前。

《廣韻聲類手冊》討論統計表（　紐）

一、系聯與討論：

系聯情形	問題所在	解決過程	討論結果	備註

二、反切上字統計表：

合計	數次與第等的字切被						反切	反切上字
	四	三			二	一		
		寅	丑	子				
總	共	共	共	共	共	共		共 字

合計	數次與第等的字切被						反切	反切上字
	四	三			二	一		
		寅	丑	子				
總	共	共	共	共	共	共		共 字

卷第三舌音 九、娘

編號聲紐	切語	等	開合	韻類	韻值	古韻	系聯	廣韻	新編	備註
娘	女良							176	179	
醲	女容							36	179	
膿	女江							39	179	
尼	女夷							53	179	
袽	女余							72	180	
紉	女鄰							104	180	
嘫	女閑							130	180	
鐃	女交							152	180	
拏	女加							166	180	
儜	女耕							189	180	
䛘	女心							219	180	
黏	女廉							227	180	
諵	女咸							230	180	
狔	女氏							246	180	※林校：「集韻作乃倚切。」
柅	女履							249	180	
女	尼呂							258	180	
趁	尼展							291	180	
檸	拏梗							317	180	
狃	女久							321	180	
拰	尼凜							329	180	

編號	聲紐	切語	等	開合	韻類	韻值	古韻	系聯	廣韻	新編	備註
	罝	女減							337	180	
	找	穠用							345	180	
	諉	女恚							349	180	
	膩	女利							352	180	
	女	尼據							363	180	※周校：「故宮王韵作乃據反，類隔切也。」
	褹	女介							385	180	
	奻	女恚							405	180	
	輾	女箭							411	180	
	釀	女亮							425	180	
	糅	女救							436	180	
	諵	尼賺							445	180	
	肭	女六							457	180	※周校：「此字段改作朒，與切三故宮王韵合，當據正。宋玉篇亦從肉作朒。」
	搦	女角							467	181	
	暱	尼質							469	181	
	貀	女滑							488	181	
	痆	女黠							489	181	
	妠	女刮							491	181	
	吶	女劣							500	181	
	逽	女略							504	181	
	蹃	女白							513	181	

編號	聲紐	切語	等	開合	韻類	韻值	古韻	系聯	廣韻	新編	備註
	疒	尼戹							516	181	
	匿	女力							526	181	
	孨	尼立							533	181	
	聶	尼輒							539	181	
	囡	女洽							543	181	
	[illegible]	女法							546	181	

《廣韻聲類手冊》討論統計表（紐）

一、系聯與討論：

系聯情形	問題所在	解決過程	討論結果	備註

二、反切上字統計表：

反切上字	反切	被切字的等第與次數						合計
		一	二	三			四	
				子	丑	寅		
共 字		共	共	共	共	共	共	總

反切上字	反切	被切字的等第與次數						合計
		一	二	三			四	
				子	丑	寅		
共 字		共	共	共	共	共	共	總

卷第四 齒音 一、精

編號	聲紐	切語	等	開合	韻類	韻值	古韻	系聯	廣韻	新編	備註
	精	子盈							190	183	
	葼	子紅							31	183	
	宗	作冬							33	183	
	縱	即容							37	183	
	貲	即移							46	183	
	厜	姊宜							50	183	※周校：「切二切三故宮本敦煌本王韻均作姊規反。」林校：「宜字誤，今據切二、切三、王一、王二、全王作姊規反。」
	劑	遵爲							50	183	
	騹	子垂							50	183	
	咨	即夷							52	183	
	嶉	醉綏							58	184	
	茲	子之							63	184	
	且	子魚							71	184	
	諏	子于							79	184	
	租	則吾							84	184	
	齎	祖稽							91	184	
	嗺	臧回							98	184	※周校：「臧，巾箱本譌作藏。」
	栽	祖才							100	184	
	津	將鄰							104	184	
	遵	將倫							108	184	
	尊	祖昆							118	184	

編號聲紐	切語	等	開合	韻類	韻值	古韻	系聯	廣韻	新編	備註
鑽	借官							126	184	
箋	則前							132	185	
煎	子仙							137	185	
鐫	子泉							140	185	
焦	即消							147	185	※林校：「焦，即消切，切三、全王作即遙反。」
糟	作曹							157	185	
侳	子骴							164	185	※周校：「切三無此字。故宮本敦煌本王韻作子過反」林校：「侳子骴切，骴字誤。」
嗟	子邪							165	185	
將	即良							175	185	
臧	則郎							183	185	
增	作滕							201	185	※周校：「敦煌王韻作在滕反，誤。」
遒	即由							205	185	
緅	子侯							214	186	
稵	子幽							216	186	
祲	子心							218	186	
簪	作含							222	186	
尖	子廉							227	186	
緫	作孔							236	186	
縱	子冢							240	186	
觜	即委							243	186	

編號	聲紐	切語	等	開合	韻類	韻值	古韻	系聯	廣韻	新編						備註
	紫	將此							245	186						
	姊	將几							248	186						
	濢	遵誄							250	186						
	子	即里							253	186						
	苴	子與							259	186						
	祖	則古							266	187						
	濟	子禮							268	187						
	宰	作亥							274	187						
	⿰木盡	即忍							276	187						
	⿰尊刂	兹損							282	187						
	⿱髟贊	作旱							285	187						
	纂	作管							286	187						
	翦	即淺							292	187						
	臇	子兖							293	187						
	湫	子了							296	187						
	勦	子小							299	187						
	早	子晧							302	187						
	左	臧可							305	187						
	渚	作可							307	188						※周校：「可在哿韻，此字當入哿韻。」
	⿰虫且	⿰食坐瓦							308	188						※周校：「元泰定本、明本作銼瓦切。案：⿰食坐、銼聲類不同，⿰食坐為精母，銼為從母。」

編號	聲紐	切語	等	開合	韻類	韻值	古韻	系聯	廣韻	新編	備註
	姐	茲野							309	188	※周校：「切三及敦煌王韻作慈野反。案：慈蓋茲字之誤。」
	奬	即兩							310	188	
	駔	子朗							314	188	
	井	子郢							318	188	△「井」字《存》作「丼」。
	酒	子酉							324	188	
	走	子苟							327	188	
	䣟	子朕							328	188	
	昝	子感							331	188	
	䭕	子敢							333	188	
	𩟗	子冉							335	188	
	糭	作弄							342	188	
	綜	子宋							344	188	
	縱	子用							345	188	
	積	子智							346	188	
	醉	將遂							350	188	
	恣	資四							354	188	
	怚	將預							363	188	
	緅	子句							365	188	
	作	臧祚							370	188	※《存》作「臧祚切」。周校曰：「祚，各本作祚，是也，當據正。」林校同。
	霽	子計							370	188	

編號	聲紐	切語	等	開合	韻類	韻值	古韻	系聯	廣韻	新編	備註
	祭	子例							375	188	
	蕝	子芮							379	188	
	最	祖外							382	188	
	晬	子對							388	188	
	載	作代							389	189	
	晉	即刃							393	189	
	儁	子峻							395	189	
	焌	子寸							400	189	
	賛	則旰							402	189	
	穳	子筭							402	189	
	薦	丈買							408	189	△「薦」為上聲，應置於「濟」（P157）後「宰」前。
	箭	子賤							410	189	
	醮	子肖							414	189	
	竈	則到							418	189	
	佐	則箇							419	189	
	挫	則臥							420	189	※周校：「故宮本、敦煌本王韻作側臥反，側字誤。」
	唶	子夜							423	189	
	醬	子亮							426	189	※案：《存》作「于亮反」，周校曰：「于，各本作子，是也。」林校：「于字誤，今據覆元泰定本正作子亮切。」
	葬	則浪							427	190	
	精	子姓							431	190	

編號	聲紐	切語	等	開合	韻類	韻值	古韻	系聯	廣韻	新編	備註
	甑	子孕							433	190	
	增	子鄧							434	190	
	僦	即就							436	190	※林校：「全王作即救反。」
	奏	則候							439	190	
	浸	子鴆							440	190	
	篸	作紺							442	190	
	⿰口韱	子豔							443	190	
	僭	子念							444	190	
	⿱斬見	子鑑							445	190	
	鏃	作木							451	190	
	蹙	子六							457	190	
	傶	将毒							460	190	
	足	即玉							463	190	
	堲	資悉							470	190	
	卒	子聿							473	190	
	卒	臧没							482	190	
	⿱髟贊	姊末							485	190	※林校：「⿱髟贊，姊末切，移十二曷，又此以合口切開口。」余校：「⿱髟贊，當入曷韻。」
	繓	子括							486	190	
	節	子結							492	190	
	蕝	子悅							498	190	

編號	聲紐	切語	等	開合	韻類	韻值	古韻	系聯	廣韻	新編	備註
	蠽	姊列							500	190	※周校：「切三作千列反。」
	爵	即略							503	190	
	作	則落							506	191	
	喿	祖郭							509	191	
	積	資賜							516	191	
	績	則歷							522	191	
	即	子力							527	191	
	則	子德							529	191	
	帀	子荅							535	191	
	接	即葉							538	191	
	浹	子協							542	191	
	暫	作三							225	191	△「暫」為平聲，應置於「簪」(P156)後「尖」前。
	噍	子入							532	191	△「噍」應置於「則」「帀」之間(P161)。
	嶊	子罪							273	192	△「嶊」為上聲，應置於「薦」後「宰」前(P157)。

《廣韻聲類手冊》討論統計表（紐）

一、系聯與討論：

系聯情形	問題所在	解決過程	討論結果	備註

二、反切上字統計表：

合計	被切字的等第與次數						反切	反切上字
	四	三			二	一		
		寅	丑	子				
總	共	共	共	共	共	共		共 字

合計	被切字的等第與次數						反切	反切上字
	四	三			二	一		
		寅	丑	子				
總	共	共	共	共	共	共		共 字

卷第四 齒音

二清

編號	聲紐	切語	等	開合	韻類	韻值	古韻	系聯	廣韻	新編	備註
	清	七情							190	192	
	怱	倉紅							31	192	
	樅	七恭							38	192	
	雌	此移							48	192	
	郪	取私							53	192	
	疽	七余							68	192	
	趨	七逾							77	192	
	麤	倉胡							85	192	
	妻	七稽							87	192	
	崔	倉回							97	193	
	猜	倉才							100	193	
	親	七人							102	193	
	逡	七倫							107	193	
	村	此尊							119	193	
	千	蒼先							132	193	
	遷	七然							137	193	
	詮	此緣							141	193	
	鍫	七遥							150	193	
	操	七刀							158	193	
	蹉	七何							159	193	

編號	聲紐	切語	等	開合	韻類	韻值	古韻	系聯	廣韻	新編	備註
	莛	七戈							162	193	※周校：「切三無此字，故宮王韻作倉禾反，敦煌王韻作倉和反。」
	脞	醋伽							164	193	
	鏘	七羊							176	193	
	倉	七岡							180	193	
	青	倉經							193	194	
	秋	七由							204	194	
	誰	千侯							215	194	
	侵	七林							216	194	
	參	倉含							221	194	
	籤	七廉							226	194	
	此	雌氏							243	194	
	趡	千水							249	194	
	䀨	七與							259	194	※周校：「䀨，巾箱本作䀨，與切三及故宮本、敦煌本王韻合。」
	取	七庾							264	194	
	蔖	采古							265	194	
	泚	千禮							269	194	
	皠	七罪							273	194	
	采	倉宰							274	194	
	笉	七忍							276	195	※案《存》作「士忍切」，周校及林校皆校作「七忍切」。
	忖	倉本							282	195	

編號	聲紐	切語	等	開合	韻類	韻值	古韻	韻系聯	廣韻	新編	備註
	悄	親小							299	195	
	草	采老							302	195	
	瑳	千可							304	195	
	脞	倉果							307	195	
	且	七也							308	195	
	搶	七兩							313	195	
	蒼	麁朗							315	195	
	請	七靜							319	195	
	趣	倉苟							327	195	
	寑	七稔							328	195	
	慘	七感							331	195	
	黲	倉敢							333	195	
	憸	七漸							335	195	
	憯	青忝							336	195	
	謥	千弄							343	195	
	刺	七賜							347	195	案.《存》作「刺」。
	趞	千仲							343	195	
	翠	七醉							353	195	
	次	七四							354	195	
	載	七吏							356	195	

編號	聲紐	切語	等	開合	韻類	韻值	古韻	系聯	廣韻	新編						備註
	覷	七慮							362	195						
	娶	七句							366	196						
	厝	倉故							369	196						
	砌	七計							372	196						
	毳	此芮							375	196						
	襊	麤最							382	196						
	蔡	倉大							382	196						
	⿰白最	七外							383	196						
	啐	倉夬							387	196						
	倅	七內							388	196						
	菜	倉代							391	196						
	親	七遴							394	196						
	寸	倉困							399	196						
	粲	蒼案							402	196						
	竄	七亂							403	196						
	蒨	倉甸							406	196						
	縓	七絹							411	196						
	陗	七肖							414	196						
	操	七到							418	196						
	剉	麤臥							420	197						

編號	聲紐	切語	等	開合	韻類	韻值	古韻	系聯	廣韻	新編	備註
	諸	千過							420	197	
	磋	七過							421	197	※周校：「千過切與剉字麤臥切音同。本紐同音之磋字集韵入箇韵，音千个切。」
	篬	遷謝							424	197	
	蹡	七亮							427	197	
	倩	七政							430	197	
	𪗵	千定							432	197	
	蹭	千鄧							433	197	
	趍	七溜							437	197	
	輳	倉奏							439	197	
	沁	七鴆							440	197	
	謲	七紺							442	197	
	壍	七豔							443	197	
	瘯	千木							451	197	
	䵴	七宿							456	197	
	促	七玉							463	197	
	七	親吉							468	197	
	焌	倉聿							474	197	
	遂	七合							536	197	△「遂」位置有誤，應置於「趚」後(P169)「妾」前。
	囃	倉雜							538	197	※林校：「雜在二十七合，今據王一正作倉臘切。」
	猝	倉没							482	197	

編號	聲紐	切語	等	開合	韻類	韻值	古韻	系聯	廣韻	新編	備註
	攃	七曷							484	197	
	撮	倉括							487	197	
	切	千結							491	197	
	膬	七絕							500	197	
	鵲	七雀							503	197	
	錯	倉各							506	198	
	皵	七迹							518	198	
	旻	七役							520	198	
	戚	倉歷							523	198	
	墄	七則							531	198	
	緝	七入							531	198	
	𧼩	七合							536	198	
	妾	七接							540	198	
	淺	七演							291	198	△「淺」為上聲，應置於「忖」(P165)「悄」之間。

《廣韻聲類手冊》討論統計表（紐）

一、系聯與討論：

系聯情形	問題所在	解決過程	討論結果	備註

二、反切上字統計表：

合計	被切字的等第與次數						反切	反切上字
	四	三			二	一		
		寅	丑	子				
總	共	共	共	共	共	共		共　字

合計	被切字的等第與次數						反切	反切上字
	四	三			二	一		
		寅	丑	子				
總	共	共	共	共	共	共		共　字

卷第四 齒音 三、從

編號	聲紐	切語	等	開合	韻類	韻值	古韻	系聯	廣韻	新編	備註
	從	疾容							36	198	
	叢	徂紅							31	198	
	賨	藏宗							33	198	
	疵	疾移							46	198	
	茨	疾資							53	198	
	慈	疾之							63	198	
	徂	昨胡							85	199	
	齊	徂奚							86	199	※周校：「徂字切三譌作俱，切韵殘卷二〇七、韵目不誤。」
	摧	昨回							98	199	
	裁	昨哉							99	199	※林校：「切三、王一、全王、P三六九五作昨來反。」
	秦	匠鄰							104	199	
	鷏	昨旬							108	199	
	存	徂尊							118	199	
	殘	昨干							122	199	
	欑	在丸							125	199	
	虥	昨閑							130	199	
	前	昨先							132	199	
	錢	昨仙							137	199	
	全	疾緣							140	199	
	樵	昨焦							147	200	

編號	聲紐	切語	等	開合	韻類	韻值	古韻	系聯	廣韻	新編	備註
	曹	昨勞							158	200	
	醝	昨何							160	200	
	矬	昨禾							162	200	
	查	才邪							169	200	
	牆	在良							176	200	
	藏	昨郎							183	200	
	情	疾盈							190	200	
	繒	疾陵							200	200	
	層	昨棱							201	200	
	酋	自秋							205	200	
	剶	徂鉤							215	201	※周校:「徂字元泰定本、明本作鉏,是也。切三作俎,亦誤。」
	鯵	昨淫							218	201	
	蠶	昨含							222	201	
	慙	昨甘							224	201	
	潛	昨鹽							227	201	
	惢	才捶							246	201	※宋、《存》作「才棰切」,周校:「棰,各本作捶,當據正。」林校同。
	[illegible]	徂累							250	201	※林校:「累字在四紙,今據王一、王二正作徂壘切。」
	咀	慈呂							259	201	
	聚	慈庾							260	201	
	粗	徂古							266	201	

編號	聲紐	切語	等	開合	韻類	韻值	古韻	系聯	廣韻	新編	備註
	薺	徂禮							268	201	
	辠	徂賄							272	201	
	在	昨宰							274	201	
	盡	慈忍							276	201	
	鱒	才本							282	201	
	瓚	藏旱							284	201	
	踐	慈演							290	201	
	雋	徂兗							293	201	
	皁	昨早							302	201	
	坐	徂果							306	201	
	奘	徂朗							315	201	
	靜	疾郢							317	201	
	汫	徂醒							320	202	
	湫	在九							322	202	
	蕈	慈荏							329	202	※林校：「切三、全王、P三六九三俱作慈錦反。」
	歜	徂感							331	202	
	槧	才敢							333	202	
	漸	慈染							335	202	
	[illegible]	徂送							344	202	
	從	疾用							345	202	

編號	聲紐	切語	等	開合	韻類	韻值	古韻	系聯	廣韻	新編	備註
	漬	疾智							348	202	
	萃	秦醉							355	202	
	自	疾二							355	202	
	字	疾置							357	202	
	埾	才句							366	202	
	祚	昨誤							369	202	
	嚌	在詣							371	202	
	蕞	才外							382	202	
	載	昨代							389	202	
	鐏	徂悶							399	202	※周校：「徂悶切，敦煌王韻同，唐韻徂作祖，誤。」
	㜺	徂贊							402	202	※周校：「北宋本、巾箱本、黎本、景宋本均作徂，與故宮王韻唐韻合。」案：《存》作「祖贊切」周林皆校為「徂」。
	攢	在玩							404	203	
	荐	在甸							408	203	
	賤	才線							411	203	
	噍	才笑							414	203	
	漕	在到							418	203	
	座	徂臥							420	203	
	褯	慈夜							422	203	
	匠	疾亮							425	203	
	藏	徂浪							427	203	

編號	聲紐	切語	等	開合	韻類	韻值	古韻	系聯	廣韻	新編	備註
	淨	疾政							431	203	
	贈	昨亙							433	203	
	就	疾僦							436	203	
	暫	藏濫							443	203	
	潛	慈豔							444	203	
	瞥	漸念							444	203	
	族	昨木							451	203	
	歜	才六							459	203	
	疾	秦悉							470	203	
	崒	慈卹							473	203	
	捽	昨没							482	203	
	巀	才割							484	203	
	柮	藏活							485	203	
	戳	昨結							494	203	※周校：「切三昨譌作作。」
	絕	情雪							498	203	
	嚼	在爵							503	203	
	昨	在各							508	204	
	籍	秦昔							519	204	
	寂	前歷							523	204	
	堲	秦力							528	204	

編號	聲紐	切語	等	開合	韻類	韻值	古韻	系聯	廣韻	新編	備註
	賊	昨則							530	204	
	集	秦入							531	204	
	雜	徂合							535	204	
	[illegible]	才盍							537	204	※周校：「切三作[illegible]，與玉篇合。」
	捷	疾葉							539	204	
	䕹	在協							542	204	

《廣韻聲類手冊》討論統計表（紐）

一、系聯與討論：

系聯情形	問題所在	解決過程	討論結果	備註

二、反切上字統計表：

合計	被切字的等第與次數						反切	反切上字
	四	三			二	一		
		寅	丑	子				
總	共	共	共	共	共	共		共 字

合計	被切字的等第與次數						反切	反切上字
	四	三			二	一		
		寅	丑	子				
總	共	共	共	共	共	共		共 字

卷第四 齒音 四、心

編號	聲紐	切語	等	開合	韻類	韻值	古韻	系聯	廣韻	新編	備註
	心	息林							218	204	
	嵩	息弓							25	204	
	鬆	私宗							33	204	
	蜙	息恭							38	205	
	斯	息移							47	205	
	眭	息爲							49	205	
	私	息夷							54	205	
	綏	息遺							56	205	
	思	息茲							59	205	
	胥	相居							68	206	
	須	相俞							75	206	
	蘇	素姑							84	206	
	西	先稽							90	206	
	膗	素回							97	206	
	鰓	蘇來							100	206	
	新	息鄰							102	206	
	荀	相倫							106	206	
	孫	思渾							117	207	
	⿰月冊	蘇干							122	207	
	酸	素官							124	207	

編號	聲紐	切語	等	開合	韻類	韻值	古韻	系聯	廣韻	新編	備註
	先	蘇前							132	207	
	仙	相然							136	207	
	宣	須緣							140	207	
	蕭	蘇彫							143	207	
	宵	相邀							146	208	
	騷	蘇遭							157	208	
	娑	素何							159	208	
	莎	蘇禾							162	208	
	些	寫邪							169	208	
	襄	息良							175	208	
	桑	息郎							180	209	
	騂	息營							193	209	※周校：「騂，當從羊作騂，見說文新附。案字從羊方有赤義。」
	星	桑經							195	209	
	僧	蘇增							201	209	
	脩	息流							205	209	
	涑	速侯							213	209	
	毿	蘇含							223	209	
	三	蘇甘							224	209	
	銛	息廉							225	209	
	敵	先孔							236	209	

編號	聲紐	切語	等	開合	韻類	韻值	古韻	系聯	廣韻	新編	備註
	悚	息拱							239	209	
	髓	息委							242	209	
	徙	斯氏							244	209	
	死	息姊							249	209	
	枲	胥里							252	210	
	諝	私呂							257	210	
	縃	相庾							264	210	
	洗	先禮							269	210	
	筍	思尹							277	210	
	損	蘇本							282	210	
	散	蘇旱							284	210	
	算	蘇管							285	210	
	銑	蘇典							288	210	
	獮	息淺							290	210	
	選	思兗							294	210	
	篠	先鳥							295	210	
	小	私兆							297	210	
	嫂	蘇老							302	210	※周校：「嫂」北宋本、中箱本、景宋本、黎本譌作「㛮」。
	縒	蘇可							304	210	
	鎖	蘇果							305	210	

編號	聲紐	切語	等	開合	韻類	韻值	古韻	系聯	廣韻	新編	備註
	寫	悉姐							308	211	
	想	息兩							311	211	
	顙	蘇朗							313	211	
	省	息井							319	211	
	醒	蘇挺							320	211	
	滫	息有							324	211	
	叜	蘇后							326	211	
	罧	斯甚							328	211	
	糂	桑感							331	211	
	送	蘇弄							342	211	
	宋	蘇統							344	211	
	賜	斯義							346	211	
	䅗	思累							349	211	
	邃	雖遂							350	211	
	四	息利							354	211	
	笥	相吏							356	212	
	絮	息據							363	212	
	尠	思句							366	212	
	訴	桑故							369	212	
	細	蘇計							372	212	

編號	聲紐	切語	等	開合	韻類	韻值	古韻	系聯	廣韻	新編	備註
		歲 相鋭							375	212	
		[石+歲] 先外							382	212	
		碎 蘇内							389	212	
		賽 先代							390	212	
		信 息晉							392	212	
		陖 私閏							394	212	
		巽 蘇困							399	212	
		繖 蘇旰							402	212	
		筭 蘇貫							404	212	
		霰 蘇佃							406	213	
		線 私箭							409	213	
		選 息絹							411	213	※周校：「故宮王韻作息便反，是以脣音開口字切合口字也。」
		嘯 蘇弔							412	213	
		笑 私妙							413	213	
		喿 蘇到							418	213	
		些 蘇箇							420	213	
		䐹 先臥							421	213	
		蝑 司夜							423	213	
		相 息亮							426	213	
		喪 蘇浪							428	213	

編號	聲紐	切語	等	開合	韻類	韻值	古韻	聯系	廣韻	新編						備註
	性	息正							431	213						
	腥	蘇佞							431	213						
	竊	思贈							434	213						
	秀	息救							436	213						
	瘶	蘇奏							439	213						
	倸	蘇紺							442	213						
	三	蘇暫							443	213						
	⿰石韱	先念							444	213						
	速	桑谷							450	213						
	肅	息逐							458	214						
	洬	先篤							460	214						
	粟	相玉							463	214						
	悉	息七							468	214						
	卹	辛聿							474	214						※周校：「卹，當從說文作卹。」
	窣	蘇骨							482	214						※林校：「王二作蘇沒反。」
	躠	桑割							484	214						
	屑	先結							491	215						
	薛	私列							496	215						
	雪	相絕							498	215						
	削	息約							503	215						

編號	聲紐	切語	等	開合	韻類	韻值	古韻	系聯	廣韻	新編	備註
	索	蘇各							507	215	
	昔	思積							516	215	
	錫	先擊							520	215	
	息	相即							525	215	
	塞	蘇則							530	215	
	靸	先立							533	216	
	趿	蘇合							534	216	
	𠌃	私盍							537	216	※周校：「故宮王韵此字作𠌃。萬象名義同。案所從之乖，見玉篇非部，萬象名義同，是𠌃不從非也。」
	燮	蘇協							542	216	
	𨓏	先頰							542	216	
	檧	蘇公							32	216	△「檧」為平聲，應置於「嵩」(P180)後「鬆」前。

《廣韻聲類手冊》討論統計表（紐）

一、系聯與討論：

系聯情形	問題所在	解決過程	討論結果	備註

二、反切上字統計表：

反切上字	反切	被切字的等第與次數						合計
		一	二	三			四	
				子	丑	寅		
共　字		共	共	共	共	共	共	總

反切上字	反切	被切字的等第與次數						合計
		一	二	三			四	
				子	丑	寅		
共　字		共	共	共	共	共	共	總

卷第四 齒音 五、邪

編號	聲紐	切語	等	開合	韻類	韻值	古韻	系聯	廣韻	新編						備註
	邪	似嗟							168	216						
	松	祥容							34	216						
	隨	旬爲							43	216						
	詞	似茲							61	216						
	徐	似魚							69	216						
	旬	詳遵							108	216						
	旋	似宣							141	217						
	次	夕連							141	217						
	詳	似羊							171	217						
	錫	徐盈							192	217						※周校：「錫，明本作餳，是也。本書所附辨四聲輕清重濁法內有此字。」
	囚	似由							209	217						
	尋	徐林							216	217						
	燅	徐鹽							228	217						
	⿰犭遀	隨婢							246	217						
	兕	徐姊							247	217						
	似	詳里							251	217						
	敘	徐呂							259	217						
	⿰象阝	辝纂							286	218						※余校：「⿰象阝，一等字，辝，邪母。」
	⿰糹羨	徐翦							292	218						
	灺	徐野							308	218						

編號	聲紐	切語	等	開合	韻類	韻值	古韻	系聯	廣韻	新編	備註
	像	徐兩							310	218	
	頌	似用							344	218	
	遂	徐醉							350	218	
	寺	祥吏							356	218	
	㶊	徐預							363	218	※周校：「㶊，集韵類篇作㶊。段改作㶊，與說文玉篇合。」
	篲	祥歲							376	218	
	賮	徐刃							393	218	
	殉	辭閏							395	218	
	漩	辝戀							411	218	※林校：「王二、全王、唐韵作辝選反。」
	羨	似面							411	218	△《存》「羨」作「羡」。
	謝	辝夜							422	218	
	岫	似祐							435	218	
	續	似足							463	218	
	蒦	寺絕							500	219	
	席	祥易							518	219	
	習	似入							531	219	

《廣韻聲類手冊》討論統計表（紐）

一、系聯與討論：

系聯情形	問題所在	解決過程	討論結果	備註

二、反切上字統計表：

反切上字	反切	被切字的等第與次數						合計
		一	二	三			四	
				子	丑	寅		
共　　字		共	共	共	共	共	共	總

反切上字	反切	被切字的等第與次數						合計
		一	二	三			四	
				子	丑	寅		
共　　字		共	共	共	共	共	共	總

卷第四 齒音 六、莊

聲紐	切語	編號	等	開合	韻類	韻值	古韻	系聯	廣韻	新編						備註
莊	側羊								176	219						
眨	側洽								543	219						△「眨」屬入聲，應置於「戢」（P195）後。
菑	側持								62	219						
菹	側魚								71	219						
㑳	莊俱								78	219						
齋	側皆								95	219						
臻	側詵								108	219						
跧	阻頑								129	219						※林校：「切三、全王俱無，疑為增加字。」
恮	莊緣								142	219						
⿰耳巢	側交								154	219						
樝	側加								168	220						
髽	莊華								169	220						
爭	側莖								190	220						
鄒	側鳩								208	220						
兂	側吟								220	220						
批	側氏								246	220						
滓	阻史								254	220						
阻	側呂								258	220						
䲔	仄謹								280	220						※周校：「䲔，此字北宋本中箱本黎本景宋本譌作⿰魚黍。」
酢	側板								286	220						

編號	聲紐	切語	等	開合	韻類	韻值	古韻	系聯	廣韻	新編	備註
	醆	阻限							288	220	
	爪	側絞							300	220	
	鮓	側下							309	220	
	掫	側九							325	220	
	斬	側減							336	220	
	裝	爭義							349	220	
	胾	側吏							357	220	
	詛	莊助							363	220	
	債	側賣							384	220	
	瘵	側界							384	220	
	孨	莊眷							411	220	
	抓	側教							416	220	
	詐	側駕							422	220	
	壯	側亮							426	221	
	諍	側迸							430	221	
	皺	側救							435	221	
	譖	莊蔭							441	221	※周校：「唐韻作疾蔭反，疾蓋莊字之譌。」
	蘸	莊陷							445	221	
	縬	側六							457	221	
	捉	側角							464	221	

編號	聲紐	切語	等	開合	韻類	韻值	古韻	系聯	廣韻	新編	聲值					備註
	[illegible]	側律							474	221						
	櫛	阻瑟							474	221						
	札	側八							487	221						
	茁	鄒滑							489	221						
	茁	側劣							500	221						
	斮	側略							503	221						
	嘖	側伯							511	221						
	責	側革							514	221						
	[illegible]	簪摑							516	221						
	稄	阻力							528	221						
	戢	阻立							533	221						
	齜	側宜							50	221						△「齜」為平聲，應置於「菑」前（P193）。

《廣韻聲類手冊》討論統計表（紐）

一、系聯與討論：

系聯情形	問題所在	解決過程	討論結果	備註

二、反切上字統計表：

合計	數次與第等的字切被						反切	反切上字
	四	三			二	一		
		寅	丑	子				
總	共	共	共	共	共	共		共 字

合計	數次與第等的字切被						反切	反切上字
	四	三			二	一		
		寅	丑	子				
總	共	共	共	共	共	共		共 字

卷第四 齒音 七、初

編號	聲紐	切語	等	開合	韻類	韻值	古韻	系聯	廣韻	新編	備註
	初	楚居							66	221	
	差	楚宜							48	221	
	衰	楚危							50	221	
	輜	楚持							59	221	△《存》作「輺」。
	囪	楚江							39	221	
	芻	測隅							72	222	
	釵	楚佳							93	222	
	差	楚皆							95	222	
	䜈	楚交							154	222	
	叉	初牙							167	222	
	創	初良							175	222	
	鎗	楚庚							185	222	
	琤	楚耕							189	222	
	搊	楚鳩							208	222	
	嵾	楚簪							220	222	
	攙	楚銜							231	222	
	揣	初委							246	222	
	㓨	初紀							254	222	
	楚	創舉							258	222	
	齔	初謹							280	222	※周校：「齔，說文作齔，漢曹全碑同。」

編號	聲紐	切語	等	開合	韻類	韻值	古韻	系聯	廣韻	新編						備註
	㹽	初板							287	222						
	剗	初限							287	222						
	㦃	初綰							288	222						※周校：「綰在潸韻，陳澧以為㦃蓋潸韻增加字誤入此韻也。」林校：「綰在二十五潸，今據玉篇叉限切併入本韻剗初限切。」
	煼	初爪							301	222						
	簒	初刮							491	222						△「簒」為入聲，應置於「剎」（P201）後「屆」前。
	䂳	叉瓦							310	222						
	磢	初兩							311	223						※周校：「故宮王韻作測兩切，音同，切三測作則，誤。」
	𩕄	初丈							313	223						
	𩋰	初九							325	223						
	墋	初朕							329	223						
	膱	初減							337	223						
	醶	初檻							337	223						
	稯	楚絳							346	223						※周校：「北宋本、巾箱本、黎本、景宋本作稯，誤。」
	敊	楚愧							356	223						
	廁	初吏							357	223						
	楚	瘡據							363	223						
	菆	芻注							366	223						
	毳	楚稅							376	223						
	差	楚懈							383	223						
	嘬	楚夬							387	223						

編號	聲紐	切語	等	開合	韻類	韻值	古韻	系聯	廣韻	新編	備註
	櫬	初覲							394	223	
	[illegible]	叉万							398	223	
	篡	初患							405	223	
	抄	初教							416	223	
	剿	廁列							500	223	△「剿」為入聲，應置於「剎」(P.201)「篡」兩字間。
	刱	初亮							426	223	
	瀙	楚敬							430	223	
	簉	初救							435	223	
	讖	楚譖							441	223	
	懺	楚鑒							445	223	
	柵	測戟							510	223	△「柵」位置誤，應置於「屆」(P.201)「策」兩字間。
	珿	初六							457	223	
	娖	測角							467	223	
	刺	初栗							470	223	
	齱	初八							488	223	※周校：「切三初譌作切。」
	剎	初鎋							490	223	
	屆	初戢							534	223	
	策	楚革							514	223	△《存》「策」作「筞」。
	測	初力							526	224	
	插	楚洽							543	224	

《廣韻聲類手冊》討論統計表（紐）

一、系聯與討論：

系聯情形	問題所在	解決過程	討論結果	備註

二、反切上字統計表：

合計	被切字的等第與次數						反切	反切上字
	四	三			二	一		
		寅	丑	子				
總	共	共	共	共	共	共		共 字

合計	被切字的等第與次數						反切	反切上字
	四	三			二	一		
		寅	丑	子				
總	共	共	共	共	共	共		共 字

卷第四 齒音 八．牀

編號	聲紐	切語	等	開合	韻類	韻值	古韻	系聯	廣韻	新編	備註
	牀	士莊							176	224	
	崇	鋤弓							25	224	
	淙	士江							40	224	
	齹	士宜							50	224	
	茬	士之							63	224	
	漦	俟甾							63	224	
	鉏	士魚							69	224	
	⿰禾芻	仕于							78	224	
	柴	士佳							93	224	
	豺	士皆							95	224	
	膗	仕懷							95	224	
	蓁	士臻							109	224	
	餐	士安							121	224	※周校：「七安切，七，北宋本、黎本均譌作士。」
	狥	崇玄							136	224	※周校：「狥當是犳之譌字。犳見山海經西山經底陽之山，郭注犳，音之藥反。……犳已見藥韻之若切下，此處當刪。」
	潺	士連							138	224	
	巢	鉏交							152	224	
	楂	鉏加							169	225	
	傖	助庚							185	225	
	崢	士耕							188	225	案，《存》作「七耕切」，周、校皆校作「士耕切」。
	磳	仕兢							200	225	

編號	聲紐	切語	等	開合	韻類	韻值	古韻	聯系	廣韻	新編					備註
	愁	士尤							209	225					
	岑	鋤針							220	225					※林校：「全王作鋤金反。」
	讒	士咸							230	225					
	巉	鋤銜							230	225					
	士	鉏里							233	225					
	俟	牀史							253	225					
	齟	牀呂							258	225					
	⿰豸聚	鶵禹							264	225					
	濜	鉏紖							278	225					※周校：「紖在軫韻，陳澧以為此字乃軫韻增加字，誤入此韵。」林校亦移濜入十六軫。
	⿰齒戔	士板							287	225					
	撰	雛鯇							287	225					
	棧	士限							287	226					
	齜	崱瑟							475	226					△「齜」為入聲，應置於「齜」（仕叱切）（P205）「𪘨」兩字間。
	撰	士免							294	226					
	棧	士免							295	226					※余校：「棧與撰反切相同。開口字，免合口。」
	虥	士絞							300	226					
	槎	士下							309	226					
	鯫	仕垢							327	226					
	⿸厃頁	士痒							330	226					
	瀺	士減							336	226					

編號	聲紐	切語	等	開合	韻類	韻值	古韻	系聯	廣韻	新編	備註
	巉	仕檻							337	226	
	崱	仕仲							344	226	
	潨	士絳							346	226	
	事	鉏吏							358	226	
	助	牀據							363	226	
	瘵	士懈							384	226	
	寨	犲夬							387	226	※林教：「寨，犲夬切，夬字誤。」
	輚	士諫							405	226	※周校：「士，北宋本譌作七。」
	籑	士戀							411	226	
	乍	鋤駕							422	226	
	狀	鋤亮							424	226	
	驟	鋤祐							436	226	
	⿰聚刂	才奏							440	226	
	儳	仕陷							445	226	
	鑱	士懺							446	226	
	⿰禾聚	士九							325	226	△「⿰禾聚」位置誤，應置於「槎」（P204）「鯫」兩字間。
	浞	士角							464	226	
	齣	仕叱							472	226	
	巢	士稍							416	226	△「巢」為去聲，應置於「籑」（P205）「乍」兩字間。
	鏩	查鎋							491	226	

編號	聲紐	切語	等	開合	韻類	韻值	古韻	系聯	廣韻	新編	備註
	閿	士列							500	226	※周校:「巾箱本作士列切,與集韻合。」林校:「閿,土列切,土字誤,今據明監正作士列切。」
	齚	鋤陌							511	226	
	蹟	士革							514	226	
	𧻸	查獲							514	227	
	萴	士力							525	227	
	霵	仕戢							534	227	
	蓮	士洽							543	227	※周校:「敦煌王韻五代刻本韻書均作篋,篋即箑字也,此蓮乃篋字之誤,當改作箑。」林校亦據全王正作箑。

《廣韻聲類手冊》討論統計表（紐）

一、系聯與討論：

系聯情形	問題所在	解決過程	討論結果	備註

二、反切上字統計表：

反切上字	反切	被切字的等第與次數						合計
		一	二	三			四	
				子	丑	寅		
共 字		共	共	共	共	共	共	總

反切上字	反切	被切字的等第與次數						合計
		一	二	三			四	
				子	丑	寅		
共 字		共	共	共	共	共	共	總

卷第四 齒音 九、疏

編號	聲紐	切語	等	開合	韻類	韻值	古韻	系聯	廣韻	新編	備註
	疏	所葅							69	227	
	雙	所江							39	227	△《古》「雙」字誤从「夂」作雙，應正从「又」作「雙」。
	釃	所宜							49	227	
	韉	山垂							50	227	
	師	疏夷							51	227	
	衰	所追							55	227	
	毹	山芻							80	227	
	崽	山佳							93	227	
	崽	山皆							95	227	
	莘	所臻							109	227	
	删	所姦							127	228	
	櫰	數還							127	228	
	山	所閒							129	228	
	栓	山員							142	228	※周校：「五代刻本韵書入莊緣反下，蓋誤。」
	梢	所交							152	228	
	鯊	所加							167	228	
	霜	色莊							176	228	
	生	所庚							187	228	
	殑	山矜							200	228	
	搜	所鳩							208	228	

編號	聲紐	切語	等	開合	韻類	韻值	古韻	系聯	廣韻	新編	備註
	摻	山幽							216	229	
	森	所今							220	229	
	襳	史炎							228	229	
	攕	所咸							229	229	
	衫	所銜							231	229	
	躧	所綺							244	229	
	史	踈士							252	229	
	所	踈舉							258	229	
	數	所矩							263	229	
	灑	所蟹							271	229	
	潸	數板							286	229	
	産	所簡							287	229	
	㪔	山巧							301	229	
	灑	砂下							308	229	
	葰	沙瓦							310	229	
	爽	踈兩							311	229	
	省	所景							316	230	
	殑	色麥							320	230	
	溲	踈有							324	230	
	痒	踈錦							329	230	

編號	聲紐	切語	等	開合	韻類	韻值	古韻	系聯	廣韻	新編	備註
	摻	所斬							337	230	
	摲	山檻							337	230	
	淙	色絳							346	230	
	屣	所寄							349	230	
	帥	所類							352	230	
	駛	疎吏							357	230	※周校：「北宋本、巾箱本、黎本、景宋本均作駛，與敦煌王韻合。」
	疏	所去							362	230	
	捒	色句							366	230	
	啐	山芮							375	230	
	㡜	所例							377	230	
	曬	所賣							384	230	
	鎩	所拜							386	230	
	⿰口冊	所犗							387	230	※周校：「故宫王韻作所界反。」
	訕	所晏							405	230	
	孿	生患							405	230	
	簒	所眷							410	230	
	稍	所敎							416	230	
	赾	色夜							422	230	※周校：「北宋本、黎本、景宋本譌作色。」
	誜	所化							424	230	
	嗄	所嫁							424	230	

編號	聲紐	切語	等	開合	韻類	韻值	古韻	系聯	廣韻	新編	備註
	生	所敬							430	231	
	瘦	所祐							435	231	
	滲	所禁							441	231	
	釤	所鑑							445	231	
	縮	所六							453	231	
	朔	所角							464	231	
	瑟	所櫛							474	231	
	率	所律							471	231	※周校：「律字在術韵，唐韵同。七音略此字亦列入術韵。」林校移「率」入十六術。
	殺	所八							489	231	
	刷	數刮							490	231	
	㕞	所劣							500	231	
	榝	山列							500	231	
	索	山戟							510	231	
	栜	山責							515	231	※周校：「明本作棟，是也。」
	摵	砂獲							516	231	△「獲」《存》作「獲」。
	色	所力							526	231	
	澀	色立							533	232	
	萐	山輒							540	232	
	霎	山洽							544	232	
	翣	所甲							544	232	

編號	聲紐	切語	等	開合	韻類	韻值	古韻	系聯	廣韻	新編	備註
	敎	山巧							301	232	△「敎」小紐與P.58「敎」全同，重出，應刪。

《廣韻聲類手冊》討論統計表（紐）

一、系聯與討論：

系聯情形	問題所在	解決過程	討論結果	備註

二、反切上字統計表：

合計	被切字的等第與次數						反切	反切上字
	四	三			二	一		
		寅	丑	子				
總	共	共	共	共	共	共		共　字

合計	被切字的等第與次數						反切	反切上字
	四	三			二	一		
		寅	丑	子				
總	共	共	共	共	共	共		共　字

卷第四 齒音 十.照

編號	聲紐	切語	等	開合	韻類	韻值	古韻	系聯	廣韻	新編	備註
	照	之少							413	232	
	鍾	職容							34	232	
	支	章移							40	232	
	呪	職救							435	233	△「呪」為去聲，應置於「證」（P.218）「賧」兩字間。
	脂	旨支							50	233	※案：《存》作「旨夷切」。周校：「黎本誤作支。」
	錐	職追							57	233	
	之	止而							58	233	
	諸	章魚							70	233	
	朱	章俱							77	233	
	眞	職鄰							101	233	
	諄	章倫							106	233	
	饘	諸延							137	233	
	專	職緣							141	234	
	昭	止遙							149	234	
	遮	正奢							165	234	※周校：「故宮王韵作士奢反，士字誤。」
	章	諸良							173	234	
	征	諸盈							192	234	
	蒸	煑仍							198	234	
	周	職流							206	234	
	斟	職深							217	235	

編號	聲紐	切語	等	開合	韻類	韻值	古韻	系聯	廣韻	新編	備註
	詹	職廉							226	235	
	腫	之隴							237	235	
	㥀	職勇							240	235	※林校：「㥀職勇切與腫之隴切同音，切三、王一、王二、全王俱無，蓋增加字也。」
	紙	諸氏							240	235	
	捶	之累							246	235	
	旨	職雉							247	235	
	跡	止姊							250	235	
	止	諸市							250	235	
	鬻	章与							257	236	
	主	之庾							263	236	
	軫	章忍							275	236	
	準	之尹							277	236	
	膳	旨善							291	236	
	剸	旨兖							294	236	
	沼	之少							297	236	
	者	章也							307	236	
	掌	諸兩							311	236	
	整	之郢							318	237	
	拯	蒸上聲							320	237	
	帚	之九							324	237	

編號	聲紐	切語	等	開合	韻類	韻值	古韻	系聯	廣韻	新編	備註
枕		章荏							328	237	
颭		占琰							334	237	
種		之用							345	237	
寘		支義							346	237	
惴		之睡							346	237	
至		脂利							349	237	
志		職吏							356	237	
[illegible]		章恕							362	237	
注		之戍							364	237	
贅		之芮							375	237	
制		征例							377	237	
稕		之閏							394	238	
戰		之膳							409	238	
剸		之轉							412	238	
柘		之夜							423	238	
障		之亮							425	238	
政		之盛							430	238	
證		諸應							432	238	
執		之入							531	238	△「執」為入聲，應置於「職」(P219)「證」兩字間。
賧		止濫							442	238	案：《存》作「土濫切」。周校云：「黎本作止濫切，誤。」

編號	聲紐	切語	等	開合	韻類	韻值	古韻系	廣韻	新編	聲值	備註
	占	章豔						444	238		
	粥	之六						456	239		
	燭	之欲						461	239		
	質	之日						467	239		
	晢	旨熱						497	239		
	拙	職悅						499	239		
	灼	之若						501	239		
	隻	之石						518	239		
	菒	之役						520	239		
	職	之翼						524	239		※林校：「集韻作職力切。」
	枕	之任						440	239		△「枕」為上聲，應置於「枕」（章荏切）（P218）「颭」兩字間
	震	章刃						391	239		△「震」為去聲，應置於「制」（P218）「槫」兩字間。
	譫	章盍						538	239		※余校：「譫，精母字，章，照母。」
	讋	之涉						540	239		
	終	職戎						24	239		
	衆	之仲						344	237		△「衆」原位於「颭」（P218）「種」之間，漏書，補於此。

《廣韻聲類手冊》討論統計表（紐）

一、系聯與討論：

系聯情形	問題所在	解決過程	討論結果	備註

二、反切上字統計表：

合計	被切字的等第與次數						反切	反切上字
	四	三			二	一		
		寅	丑	子				
總	共	共	共	共	共	共		共　字

合計	被切字的等第與次數						反切	反切上字
	四	三			二	一		
		寅	丑	子				
總	共	共	共	共	共	共		共　字

卷第四 齒音 十二、穿

編號	聲紐	切語	等	開合	韻類	韻值	古韻	韻系聯	廣韻	新編	備註
	穿	昌緣							140	240	
	充	昌終							27	240	
	衝	尺容							34	240	
	吹	昌垂							43	240	
	眵	叱支							50	240	
	鴟	處脂							53	240	
	推	尺隹							58	240	
	蚩	赤之							62	240	
	樞	昌朱							80	240	
	⿰牜壽	昌來							101	240	
	瞋	昌眞							104	240	
	春	昌脣							108	240	
	⿰犭單	充山							130	240	※余校：「⿰犭單，二等字，充，三等。」
	燀	尺延							143	240	
	怊	尺招							151	240	
	車	尺遮							164	240	
	昌	尺良							173	240	
	稱	處陵							200	240	
	犨	赤周							206	241	
	⿰甚見	充針							221	241	

編號																				
聲紐	韂	𨿝	侈	齒	杵	茝	蠢	闡	舛	麨	奲	敞	醜	瀋	銃	吹	卶	出	痓	熾
切語	處占	充隴	尺氏	昌里	昌與	昌紿	尺尹	昌善	昌兗	尺沼	昌者	昌兩	昌九	昌枕	充仲	尺僞	充豉	尺類	充自	昌志
等																				
開合																				
韻類																				
韻值																				
古韻																				
系聯																				
廣韻	226	239	245	254	257	274	278	291	294	298	309	311	322	329	344	348	349	356	356	358
新編	241	241	241	241	241	241	241	241	241	241	241	241	241	242	242	242	242	242	242	242
備註																				

編號	聲紐	切語	等	開合	韻類	韻值	古韻	系聯	廣韻	新編	備註
	處	昌據							363	242	
	掣	尺制							377	242	
	釧	尺絹							409	242	
	硟	昌戰							410	242	
	唱	尺亮							426	242	
	稱	昌孕							433	242	
	臭	尺救							435	242	
	[illegible]	昌豔							444	242	
	俶	昌六							455	242	
	觸	尺玉							462	242	
	叱	昌栗							472	242	
	出	赤律							474	242	
	歠	昌悅							499	242	
	掣	昌列							500	242	
	綽	昌約							502	242	
	尺	昌石							518	242	
	瀷	昌力							529	242	
	斟	昌汁							534	242	※宋、《存》作「斟」。周校云：「日本宋本黎本景宋本作斟，誤。張氏改作斟，與說文合。」
	謵	叱涉							539	242	

《廣韻聲類手冊》討論統計表（紐）

一、系聯與討論：

系聯情形	問題所在	解決過程	討論結果	備註

二、反切上字統計表：

反切上字	反切	被切字的等第與次數 一	二	三 子	三 丑	三 寅	四	合計
共　字		共	共	共	共	共	共	總

反切上字	反切	被切字的等第與次數 一	二	三 子	三 丑	三 寅	四	合計
共　字		共	共	共	共	共	共	總

卷第四 齒音 十二 神

編號	聲紐	切語	等	開合	韻類	韻值	古韻	系聯	廣韻	新編	備註
	神	食鄰							102	243	
	脣	食倫							107	243	
	船	食川							141	243	
	蛇	食遮							165	243	
	繩	食陵							199	243	
	舓	神帋							246	243	
	紓	神與							259	243	
	盾	食尹							278	243	
	葚	食荏							329	243	
	示	神至							355	243	
	順	食閏							395	243	
	射	神夜							423	243	
	贖	神蜀							463	243	
	實	神質							468	243	
	術	食聿							473	243	
	舌	食列							497	243	
	麝	食亦							519	244	
	食	乘力							525	244	
	乘	寶證							432	244	※案：《存》作「實證切」，周校云：「實，北宋本、巾箱本、黎本、景宋本均譌作寶。張改作實，與故宮本敦煌本王韻唐韻合。」

《廣韻聲類手冊》討論統計表（紐）

一、系聯與討論：

系聯情形	問題所在	解決過程	討論結果	備註

二、反切上字統計表：

合計	被切字的等第與次數						反切	反切上字
	四	三			二	一		
		寅	丑	子				
總	共	共	共	共	共	共		共 字

合計	被切字的等第與次數						反切	反切上字
	四	三			二	一		
		寅	丑	子				
總	共	共	共	共	共	共		共 字

卷第四齒音十三 審

編號	聲紐	切語	等	開合	韻類	韻值	古韻	系聯	廣韻	新編	備註
	審	式任							329	244	
	舂	書容							34	244	
	纒	式支							47	244	
	尸	式脂							54	244	
	詩	書之							60	244	※周校:「切三作所之反。」
	眣	式其							63	244	
	書	傷魚							66	244	
	輸	式朱							80	245	
	申	失人							102	245	
	羶	式連							138	245	
	燒	式招							148	245	
	奢	式車							165	245	
	商	式羊							172	245	
	聲	書盈							192	245	
	升	識蒸							199	245	
	收	式州							207	245	
	深	式針							218	245	
	苫	失廉							226	245	
	弛	施是							245	246	
	矢	式視							248	246	

編號	聲紐	切語	等	開合	韻類	韻值	古韻	系聯	廣韻	新編						備註
	水	式軌							249	246						
	始	詩止							253	246						
	暑	舒呂							257	246						
	弞	式忍							275	246						
	賰	式允							278	246						
	⿰亻然	式善							295	246						
	少	書沼							297	246						
	捨	書冶							309	246						
	賞	書兩							312	246						※周校：「切三作諸兩反，諸乃識字之誤。」
	首	書九							322	246						
	灟	賞敢							332	246						※余校：「灟，一等字，賞，審母。」
	陝	失冉							334	246						△案：《存》「陝」从二入而不从人。
	⿰女羽	施智							348	246						
	屍	矢利							356	246						
	⿸疒水	釋類							356	246						
	試	式吏							357	246						
	恕	商署							362	246						
	戍	傷遇							365	246						
	稅	舒芮							376	246						
	丗	舒制							379	247						

編號	聲紐	切語	等	開合	韻類	韻值	古韻	系聯	廣韻	新編	備註
	眒	試刃							393	247	
	舜	舒閏							395	247	
	扇	式戰							410	247	
	少	失照							415	247	
	舍	始夜							423	247	
	餉	式亮							425	247	
	聖	式正							430	247	
	勝	詩證							433	247	
	狩	舒救							435	247	
	深	式禁							441	247	
	閃	舒贍							443	247	
	叔	式竹							456	247	
	束	書玉							462	247	
	失	式質							470	248	
	說	失爇							499	248	
	設	識列							500	248	
	爍	書藥							502	248	
	釋	施隻							517	248	
	識	賞職							525	248	※周校：「唐韻作常寔反，與寔字音同，非也。常當是賞字之譌。」
	溼	失入							532	248	

編號	
聲紐	攝
切語	書涉
等	
開合	
韻類	
韻值	
古韻	
系聯	
廣韻	538
新編	248
備註	

《廣韻聲類手冊》討論統計表（紐）

一、系聯與討論：

系聯情形	問題所在	解決過程	討論結果	備註

二、反切上字統計表：

合計	被切字的等第與次數						反切	反切上字
	四	三			二	一		
		寅	丑	子				
總	共	共	共	共	共	共		共 字

合計	被切字的等第與次數						反切	反切上字
	四	三			二	一		
		寅	丑	子				
總	共	共	共	共	共	共		共 字

卷第四 齒音 十四、禪

編號	聲紐	切語	等	開合	韻類	韻值	古韻	系聯	廣韻	新編	備註
	禪	市連							138	248	
	鱅	蜀庸							37	248	
	垂	是爲							42	248	
	提	是支							45	248	
	誰	視隹							57	248	
	時	市之							59	249	
	蜍	署魚							71	249	
	殊	市朱							76	249	
	栘	成臡							92	249	
	辰	植鄰							102	249	
	純	常倫							107	249	
	遄	市緣							142	249	
	韶	市昭							149	249	
	闍	視遮							168	249	
	常	市羊							176	249	
	成	是征							191	250	
	承	署陵							198	250	
	讎	市流							206	250	
	諶	氏任							218	250	
	棎	視占							226	250	

編號	紐聲	切語	等	開合	韻類	韻值	古韻	系聯	廣韻	新編	備註
	尰	時冗							239	250	
	是	承紙							241	250	
	菙	時髓							247	250	
	視	承矢							247	250	※林校：「切三、王一、王二、全王作承旨反。」
	市	時止							251	250	
	野	承與							259	251	
	豎	臣庾							263	251	
	腎	時忍							275	251	
	善	常演							291	251	
	腨	市兗							294	251	
	紹	市沼							298	251	
	社	常者							308	251	
	上	時掌							313	251	
	受	殖酉							324	251	
	甚	常枕							329	251	
	剡	時染							335	251	
	豉	是義							346	251	
	睡	是僞							349	251	
	嗜	常利							352	251	
	侍	時吏							358	251	

編號	聲紐	切語	等	開合	韻類	韻值	古韻	系聯	廣韻	新編	備註
	署	常恕							362	252	※林校：「王一、全王作常據反。」
	樹	常句							364	252	
	逝	時制							377	252	
	啜	嘗芮							379	252	
	慎	時刃							393	252	
	繕	時戰							409	252	
	捷	時釗							411	252	
	邵	寔照							414	252	
	尚	時亮							425	252	
	盛	承正							431	252	
	丞	常證							433	252	
	授	承呪							437	252	
	甚	時鴆							441	252	
	贍	時豔							443	252	
	熟	殊六							455	252	
	蜀	市玉							461	252	
	折	常列							497	252	※周校：「折，故宮王韻入舌紐，音食列反。」
	啜	殊雪							500	252	
	妁	市若							502	252	
	石	常隻							518	253	

編號	聲紐	切語	等	開合	韻類	韻值	古韻	系聯	廣韻	新編	備註
	寔	常職							525	253	
	十	是執							531	253	※周校：「唐韻是譌作楚。」
	涉	時攝							538	253	

《廣韻聲類手冊》討論統計表（紐）

一、系聯與討論：

系聯情形	問題所在	解決過程	討論結果	備註

二、反切上字統計表：

合計	數次與第等的字切被						反切	反切上字
	四	三			二	一		
		寅	丑	子				
總	共	共	共	共	共	共		共 字

合計	數次與第等的字切被						反切	反切上字
	四	三			二	一		
		寅	丑	子				
總	共	共	共	共	共	共		共 字

卷第四齒音 十五、日

編號	聲紐	切語	等	開合	韻類	韻值	古韻	系聯	廣韻	新編	備註
1	日	人質							468	253	
2	戎	如融							25	253	
3	茸	而容							37	253	
4	兒	汝移							45	253	
5	痿	人垂							50	253	※周校：「切二切三同，故宮王韻誤作於垂切，遂與逶紐音同。」案：《存》作「儒佳切」。
6	𧲜	儒佳							55	253	
7	而	如之							60	253	
8	如	人諸							71	254	
9	儒	人朱							75	254	
10	臡	人兮							92	254	
11	仁	如鄰							102	254	
12	犉	如勻							107	254	
13	然	如延							137	254	
14	堧	而緣							140	254	
15	饒	如招							148	254	
16	若	人賒							169	254	
17	穰	汝陽							174	254	
18	仍	如乘							200	255	
19	柔	耳由							206	255	
20	任	如林							218	255	

編號	聲紐	切語	等	開合	韻類	韻值	古韻	系聯	廣韻	新編	備註
	髯	汝鹽							226	255	
	宂	而隴							238	255	
	蘂	如累							243	255	※周校：「蘂，切三及故宮王韻作𦸸。」
	爾	兒氏							245	255	
	蕊	如壘							250	255	
	耳	而止							252	255	
	汝	人渚							257	255	
	乳	而主							263	256	
	疓	如亥							274	256	※周校：「故宮王韻此字在乃紐，音奴亥反，玉篇音同。」
	忍	而軫							275	256	
	蝡	而允							278	256	
	毴	而尹							278	256	
	蹨	人善							292	256	
	輭	而兖							293	256	
	擾	而沼							297	256	
	若	人者							309	256	
	壤	如兩							312	256	
	蹂	人九							323	256	
	荏	如甚							328	256	
	冉	而琰							334	256	

編號	聲紐	切語	等	開合	韻類	韻值	古韻	系聯	廣韻	新編						備註
	鞧	而用							345	256						
	枘	而瑞							349	257						
	二	而至							354	257						
	餌	仍吏							357	257						
	洳	人恕							363	257						
	孺	而遇							365	257						
	芮	而銳							375	257						
	刃	而振							392	257						
	閏	如順							395	257						※案：《存》作「閏」。周校云：「黎本元泰定本明本作閏，與說文合。當據正。」
	腝	人絹							410	257						
	饒	人要							415	257						
	讓	人樣							424	257						※余校作「人樣切」。
	認	而證							433	257						
	鞣	人又							437	257						
	妊	汝鴆							440	257						※周校：「故宮王韵作女鳩反。」
	染	而豔							443	257						
	肉	如六							456	257						
	辱	而蜀							462	257						
	[illegible]	而轄							491	257						
	熱	如列							497	257						

編號	聲紐	切語	等	開合	韻類	韻值	古韻	系聯	廣韻	新編	備註
	署	常恕							362	252	※林校：「王一、全王作常據反。」
	樹	常句							364	252	
	逝	時制							377	252	
	啜	嘗芮							379	252	
	慎	時刃							393	252	
	繕	時戰							409	252	
	捷	時釧							411	252	
	邵	寔照							414	252	
	尚	時亮							425	252	
	盛	承正							431	252	
	丞	常證							433	252	
	授	承呪							437	252	
	甚	時鴆							441	252	
	贍	時豔							443	252	
	熟	殊六							455	252	
	蜀	市玉							461	252	
	折	常列							497	252	※周校：「折，故宮王韻入舌紐，音食列反。」
	啜	殊雪							500	252	
	妁	市若							502	252	
	石	常隻							518	253	

編號	聲紐	切語	等	開合	韻類	韻值	古韻	系聯	廣韻	新編	備註
	爇	如劣							498	257	※林校：「切三、王二、全王作如雪反。」
	若	而灼							502	257	
	入	人執							532	258	
	讘	而涉							539	258	

編號	聲紐	切語	等	開合	韻類	韻值	古韻	系聯	廣韻	新編	備註
	尰	時冗							239	250	
	是	承紙							241	250	
	菙	時髓							247	250	
	視	承矢							247	250	※林校：「切三、王一、王二、全王作承旨反。」
	市	時止							251	250	
	墅	承與							259	251	
	豎	臣庾							263	251	
	腎	時忍							275	251	
	善	常演							291	251	
	膞	市兖							294	251	
	紹	市沼							298	251	
	社	常者							308	251	
	上	時掌							313	251	
	受	殖酉							324	251	
	甚	常枕							329	251	
									5	1	

《廣韻聲類手冊》討論統計表（紐）

一、系聯與討論：

系聯情形	問題所在	解決過程	討論結果	備註

二、反切上字統計表：

合計	數次與第等的字切被						反切	反切上字
	四	三			二	一		
		寅	丑	子				
總	共	共	共	共	共	共		共 字

合計	數次與第等的字切被						反切	反切上字
	四	三			二	一		
		寅	丑	子				
總	共	共	共	共	共	共		共 字

卷第五脣音　一、幫

編號	聲紐	切語	等	開合	韻類	韻值	古韻	聯系	廣韻	新編	備註
幫		博旁							183	259	
邦		博江							39	259	△《存》作「邦」。
陂		彼爲							43	259	
畀		府移							47	259	※周校：「故宮王韵作必移反。」
悲		府眉							57	259	
逋		博孤							85	259	
豍		邊兮							88	259	
桮		布回							98	259	
賓		必鄰							103	259	
彬		府巾							106	259	
奔		博昆							119	260	
⿰番去		北潘							127	260	
班		布還							128	260	※林校：「此以喉音合口切脣音開口。」
斒		方閑							130	260	
邊		布玄							136	260	※林校：「此以喉音合口切脣音開口。」
鞭		卑連							141	260	
飆		甫遙							149	260	
鑣		甫嬌							149	260	
包		布交							153	260	
褒		博毛							157	260	

編號	聲紐	切語	等	開合	韻類	韻值	古韻	系聯	廣韻	新編	備註
	波	博禾							163	260	※周校：「切三作博河反，故宮本敦煌本王韻作博何反。案河何為開口字，波為合口字，以牙喉音開口字切脣音合口字，於切韻王韻每每見之。」
	巴	伯加							167	261	
	閍	甫盲							184	261	
	兵	甫明							186	261	※周校：「甫明切，切三作甫榮反，均類隔切。故宮王韻作補榮反，為音和切。」
	浜	布耕							188	261	※周校：「布耕切，與繃紐北萌切音同，切三及故宮王韻無此紐。集韻此字入庚韻補橫切下。此字又見梗韻。」
	繃	北萌							189	261	
	幷	府盈							192	261	
	冫	筆陵							199	261	
	崩	北滕							201	261	
	彪	甫烋							216	261	
	砭	府廉							225	261	
	琫	邊孔							237	261	※周校：「切三及故宮王韻作方孔反，類隔切也。」
	絜	巴講							240	261	
	彼	甫委							241	261	
	俾	并弭							244	261	
	鄙	方美							247	261	※周校：「切三及敦煌王韻並同，故宮王韻作八美反。案八美反為音和切，方美為類隔切。」
	匕	卑履							248	261	
	補	博古							268	261	
	毀	補米							270	262	
	擺	北買							271	262	

編號	聲紐	切語	等	開合	韻類	韻值	古韻	系聯	廣韻	新編	備註
	本	布忖							282	262	
	粄	博管							286	262	
	版	布綰							286	262	※林校：「此以喉音合口切脣音開口。」
	編	方典							289	262	
	褊	方緬							293	262	
	辡	方免							293	262	
	表	陂矯							298	262	
	褾	方小							298	262	
	飽	博巧							299	262	
	寶	博抱							303	262	
	跛	布火							307	262	
	把	慱下							309	262	△《存》作「博下切」。
	榜	北朗							313	262	※周校：「故宮王韻作博朗反，音同。切三作薄朗反，博、薄聲不同類。」
	丙	兵永							315	262	※林校：「此以喉音合口切脣音開口。」
	浜	布梗							317	262	
	餅	必郢							318	262	
	鞞	補鼎							320	263	
	捸	方垢							326	263	
	稟	筆錦							329	263	
	貶	方斂							334	263	※周校：「故宮王韻此紐入厂韻。」

編號	聲紐	切語	等	開合	韻類	韻值	古韻	系聯	廣韻	新編						備註
	賁	彼義							346	263						
	臂	卑義							347	263						
	祕	兵媚							351	263						
	痺	必至							355	263						
	布	博故							369	263						△《存》作「博故切」。
	閉	博計							373	263						
	蔽	必袂							376	263						
	貝	博蓋							381	263						
	庍	方卦							384	263						※周校：「庍乃㾵字或體，見欳韻。此字從巾不得音方卦切。集韻卜卦切下有庎字，注云：『舍列。』王靜安先生以庍為庎字之誤。」
	㠔	方賣							384	263						
	擛	博怪							385	263						※林校：「怪字誤，今據覆元泰定本正作布戒切。」
	敗	補邁							387	263						
	背	補妹							389	263						※周校：「故宮王韻作補配反。音同。唐韻作蒱妹反，誤。」
	儐	必刃							393	264						
	奔	甫悶							400	264						※周校：「敦煌王韻同。唐韻作逋悶反，音和切也。」
	半	博慢							404	264						※周校：「慢在諫韻，以慢切半不合，故宮本敦煌本王韻唐韻作漫，是也。當據正。」林校同。
	扮	晡幻							406	264						※林校：「此以喉音合口切脣音開口。」
	變	彼眷							410	264						
	徧	方見							412	264						※周校：「見在霰韻，此字當入霰韻。故宮本、敦煌本、王韻唐韻均在霰韻。」林校同。
	褾	方廟							415	264						△《存》作「褾」。

編號	聲紐	切語	等	開合	韻類	韻值	古韻	系聯	廣韻	新編	備註
	豹	北教							415	264	
	報	博耗							418	264	
	播	補過							420	264	
	霸	必駕							423	264	
	螃	補曠							428	264	※林校：「此以牙音合口切脣音開口。」
	柄	陂病							429	264	
	榜	北孟							430	264	※周校：「故宮王韻此字入諍韻，音北諍反，又薄更反。」
	迸	北諍							430	264	
	摒	畀政							431	264	
	逼	彼側							527	264	△「逼」為入聲，應置於「壁」（253）「北」兩字間。
	⿱穴朋	方隥							434	264	
	窆	方驗							443	264	
	卜	博木							452	264	
	襮	博沃							460	264	
	剝	北角							465	265	
	必	畀吉							470	265	
	筆	鄙密							472	265	
	撥	北末							485	265	
	八	博拔							488	265	
	捌	百鎋							491	265	

編號	聲紐	切語	等	開合	韻類	韻值	古韻	系聯	廣韻	新編						備註
	𢐗	方結							495	265						
	鷩	并列							498	265						
	䇷	方別							499	265						
	博	補各							508	266						
	伯	博陌							510	266						
	檗	博戹							513	266						
	辟	必益							519	266						
	碧	彼役							520	266						※周校：「唐韻作方彳反，類隔切也。故宮王韻碧入陌韻，音補逆反。」
	壁	北激							523	266						
	北	博墨							530	266						
	鵖	彼及							534	266						

《廣韻聲類手冊》討論統計表（紐）

一、系聯與討論：

系聯情形	問題所在	解決過程	討論結果	備註

二、反切上字統計表：

合計	被切字的等第與次數						反切	反切上字
	四	三			二	一		
		寅	丑	子				
總	共	共	共	共	共	共		共 字

合計	被切字的等第與次數						反切	反切上字
	四	三			二	一		
		寅	丑	子				
總	共	共	共	共	共	共		共 字

卷第五脣音 二滂

編號	聲紐	切語	等	開合	韻類	韻值	韻目	古韻系聯	廣韻	新編	備註
	滂	普郎							182	266	
	胮	匹江							39	266	
	鈹	敷羈							43	267	△《存》作「敷羈反」。
	岥	匹支							50	267	
	丕	敷悲							57	267	
	紕	匹夷							58	267	
	稃	普胡							86	267	
	磇	匹迷							91	267	
	肧	芳肧							98	267	※案:《存》作「芳杯切」。周校云:「北宋本、巾箱本、黎本、景宋本均譌作肧。張改作杯,與元泰定本、明本合。」
	娝	普才							101	267	
	繽	匹賓							104	267	※周校:「切三作敷賓反。」
	砏	普巾							108	267	※周校:「巾字見真韵,此入諄韵不合。但元泰定本、明本作普均切,亦非。」林校亦移砏入十七真。
	濆	普魂							120	267	
	潘	普官							127	267	
	攀	普班							128	267	
	篇	芳連							139	267	
	胞	匹交							153	267	
	䙴	撫招							151	267	
	橐	普袍							158	268	
	頗	滂禾							163	268	※周校:「切三作滂河反,故宮本敦煌本王韵作滂河反。」案河何為開口字,以之切合口頗字,亦牙喉音開口字切脣音

編號	聲紐	切語	等	開合	韻類	韻值	古韻	系聯	廣韻	新編						備註
	葩	普巴							167	268						
	磅	撫庚							185	268						
	怦	普耕							189	268						
	竮	普丁							195	268						
	砯	披冰							200	268						※周校：「段據江賦改作砯。」
	淜	普朋							202	268						
	[illegible]	匹尤							208	268						
	芝	匹凡							231	268						
	㱟	匹靡							246	268						
	諀	匹婢							246	268						
	嚭	匹鄙							250	268						
	普	滂古							267	268						
	頩	匹米							268	268						
	啡	匹愷							274	268						
	俖	普乃							274	268						※余校：「俖，與啡音同，應併。」
	翉	普本							282	268						
	坢	普伴							286	268						
	眅	普板							287	269						
	鴘	披免							295	269						
	縹	敷沼							298	269						

編號	聲紐	切語	等	開合	韻類	韻值	古韻	系聯	廣韻	新編					備註
	麃	普保							299	269					※周校：「切三及敦煌王韻作普可反。」
	叵	普火							307	269					
	皏	普幸							317	269					
	頩	匹迥							320	269					※林校：「此以喉音合口切脣音開口。」
	倗	普等							321	269					
	剖	普后							327	269					
	品	丕飲							329	269					
	肨	匹絳							346	269					
	帔	披義							346	269					
	譬	匹賜							348	269					
	濞	匹備							351	269					
	屁	匹寐							352	269					
	怖	普故							369	269					
	媲	匹詣							374	269					
	潎	匹蔽							379	269					
	霈	普蓋							381	269					
	派	匹卦							384	269					
	湃	普拜							385	269					
	配	滂佩							388	269					
	朩	撫刃							394	269					※案《存》作「朩」。周校云：「北宋本、中箱本、黎本、景宋本均作撫刃切，類隔切也。故宮本、敦煌本王韻亦作撫刃切。」

編號	聲紐	切語	等	開合	韻類	韻值	古韻	系聯	廣韻	新編	備註
	溢	匹問							396	269	※周校:「敦煌王韻作七問反,七蓋匹字之誤。」
	噴	普悶							399	269	
	判	普半							404	269	
	攀	普患							405	269	※林校:「此以喉音合口切脣音開口。」
	盼	匹莧							406	269	※周校:「北宋本中箱本黎本景宋本譌作盻。」案,今存作「盼」。
	片	普麵							408	269	
	騗	匹戰							411	270	
	剽	匹妙							414	270	
	奅	匹皃							416	270	
	破	普過							420	270	
	帕	普駕							423	270	※周校:「故宮本敦煌本王韻作芳駕反。」
	聘	匹正							431	270	※周校:「北宋本黎本景宋本均脫聘注及正文娉字,張增與中箱本合。」
	仆	匹候							438	270	
	扑	普木							452	270	
	璞	匹角							466	270	
	匹	譬吉							469	270	
	誖	普没							481	270	
	鏺	普活							486	270	
	覆	匹北							531	270	
	髈	匹朗							315	270	△「髈」為上聲,應置於「叵」(P258)「餅」兩字間。

編號	聲紐	切語	等	開合	韻類	韻值	古韻	系聯	廣韻	新編	備註
	撆	普蔑							495	270	
	瞥	芳滅							499	270	
	[illegible]	匹各							507	270	
	拍	普伯							511	271	
	擌	普麥							515	271	
	僻	芳辟							519	271	
	霹	普擊							520	271	
	堛	芳逼							528	271	
	汃	普八							489	271	

《廣韻聲類手冊》討論統計表（紐）

一、系聯與討論：

系聯情形	問題所在	解決過程	討論結果	備註

二、反切上字統計表：

合計	被切字的等第與次數						反切	反切上字
	四	三			二	一		
		寅	丑	子				
總	共	共	共	共	共	共		共 字

合計	被切字的等第與次數						反切	反切上字
	四	三			二	一		
		寅	丑	子				
總	共	共	共	共	共	共		共 字

卷第五脣音 三.並

編號	聲紐	切語	等	開合	韻類	韻值	古韻	系聯	廣韻	新編	備註
	並	蒲迥							320	271	
	蓬	薄紅							32	271	
	皮	符羈							45	271	
	龐	薄江							39	271	
	陴	符支							47	271	
	毗	房脂							52	272	
	邳	符悲							57	272	
	酺	薄胡							80	272	
	鼙	部迷							90	272	
	牌	薄佳							93	272	
	排	步皆							94	272	
	裴	薄回							98	272	
	培	扶来							100	273	
	頻	符眞							104	273	
	貧	符巾							106	273	
	盆	蒲奔							119	273	
	槃	薄官							126	273	
	蹁	部田							135	273	
	便	房連							139	273	
	瓢	符霄							149	273	

編號	聲紐	切語	等	開合	韻類	韻值	古韻	系聯	廣韻	新編	備註
	庖	薄交							154	273	
	袍	薄襃							157	273	
	婆	薄波							162	273	
	爬	蒲巴							169	274	
	傍	步光							183	274	※林校：「此以牙音合口切脣音開口。」
	彭	薄庚							184	274	
	平	符兵							185	274	
	輣	薄萌							189	274	※周校：「切三及故宮王韻作扶萌反，類隔切也。」
	瓶	薄經							197	274	
	凭	扶冰							199	274	
	朋	步崩							201	275	
	裒	薄侯							215	275	※周校：「當從說文作襃。」
	滮	皮彪							216	275	
	辵	白銜							231	275	
	菶	蒲蠓							237	275	
	棒	步項							240	275	
	被	皮彼							241	275	
	婢	便俾							245	275	※林校：「王二作避爾反。」
	牝	扶履							249	275	
	否	符鄙							249	275	

編號	聲紐	切語	等	開合	韻類	韻值	古韻	系聯	廣韻	新編						備註
	簿	裴古							266	275						
	陛	傍禮							270	275						
	罷	薄蟹							270	275						
	琲	蒲罪							273	275						
	倍	薄亥							275	275						
	牝	毗忍							276	275						
	獖	蒲本							283	275						
	伴	蒲旱							286	275						※周校：「五代刻本韻書旱緩分立，伴作步卵反，於聲韻盡合。」林校則據P二○一四作步卵切。
	阪	扶板							287	275						
	辦	薄泫							290	275						※周校：「切三作薄顯反。以喉音開口字切脣音合口字。」林校：「辦，薄泫切，此以喉音合口切脣音開口。」
	辯	符蹇							292	276						
	楩	符善							294	276						
	摽	符少							297	276						※林校：「切三、全王作符小反。」
	藨	平表							298	276						
	鮑	薄巧							300	276						
	抱	薄浩							301	276						
	爸	捕可							307	276						※周校：「可在哿韻，以可切爸，亦以牙音開口字切脣音合口字也。」林校：「爸捕可切，疑為三十三哿增加字誤入本韻。」
	跁	傍下							309	276						
	驃	毗養							313	276						※林校：「養字誤，今據痒元泰定本正作毗往反。」
	鮩	蒲猛							317	276						

編號	聲紐	切語	等	開合	韻類	韻值	古韻	系聯	廣韻	新編	備註
	倂	蒲幸							317	276	
	部	蒲口							325	276	
	避	毗義							346	276	
	髲	平義							347	276	
	備	平祕							351	276	
	鼻	毗至							355	276	
	捕	薄故							370	276	
	薜	蒲計							374	277	
	弊	毗祭							376	277	※周校：「說文從犬作獘。」
	旆	蒲蓋							382	277	
	粺	傍卦							384	277	
	憊	蒲拜							386	277	
	敗	薄邁							386	277	
	佩	蒲昧							387	277	
	坌	蒲悶							399	277	
	叛	薄半							404	277	
	辦	蒲莧							406	277	
	卞	皮變							411	277	
	便	婢面							412	277	
	驃	毗召							414	277	

編號	聲紐	切語	等	開合	韻類	韻值	古韻	系聯	廣韻	新編	備註
	靤	防教							416	277	
	暴	薄報							418	277	
	縛	符臥							421	278	
	㹒	白駕							424	278	
	傍	蒲浪							427	278	※周校：「浪，北宋中箱本譌作光。」
	病	皮命							429	278	
	膨	蒲孟							430	278	
	併	蒲迸							430	278	
	偋	防正							431	278	
	凭	皮證							433	278	※周校：「敦煌王韵此字作凴。」
	䏬	蒲候							440	278	※案：《存》作「蒲候切」，周校云：「候，北宋本、中箱本、黎本譌作侯。」
	埿	蒲鑑							445	278	
	僕	蒲沃							460	278	
	雹	蒲角							465	278	
	邲	毗必							471	278	
	弼	房密							472	278	※周校：「切三及敦煌王韵作房律反，故宮王韵作旁律反。」
	勃	蒲沒							480	278	
	跋	蒲撥							487	279	※林校：「切三作蒲活反。」
	蹩	蒲結							495	279	
	拔	蒲八							488	279	

編號	聲紐	切語	等	開合	韻類	韻值	古韻	系聯	廣韻	新編	備註
	別	皮列							499	279	※周校：「切三故宮本敦煌本王韻作憑列反，音同。唐韻作方列反，方譌字也。」
	泊	傍各							507	279	
	白	傍陌							510	279	
	欂	弼戟							513	279	
	繴	蒲革							514	279	
	擗	房益							519	279	※周校：「唐韻作旁益反。」
	甓	扶歷							523	279	※周校：「故宮王韻作蒲歷反。」
	愎	符逼							528	280	※周校：「五代刻本韻書作皮逼反。」
	菔	蒲北							530	280	
	⿰馬丏	皮及							534	280	※周校：「⿰馬丏，段改作䮰，是也。」
	倗	父鄧							434	280	△「倗」為去聲，應在「任凡」(P267)「䏚」兩字間。
	暴	蒲木							451	280	△「暴」位置有誤，應在「蛩」(P267)「僕」兩字間。周校：「唐韻作告木反，告字誤。」

《廣韻聲類手冊》討論統計表（紐）

一、系聯與討論：

系聯情形	問題所在	解決過程	討論結果	備註

二、反切上字統計表：

合計	被切字的等第與次數						反切	反切上字
	四	三			二	一		
		寅	丑	子				
總	共	共	共	共	共	共		共 字

合計	被切字的等第與次數						反切	反切上字
	四	三			二	一		
		寅	丑	子				
總	共	共	共	共	共	共		共 字

卷第五脣音 四、明

編號	聲紐	切語	等	開合	韻類	韻值	古韻	系聯	廣韻	新編	備註
	明	武兵							186	280	
	瞢	莫中							26	280	
	蒙	莫紅							29	280	
	厖	莫江							38	280	
	糜	靡為							42	280	
	彌	武移							48	281	
	眉	武悲							57	281	
	模	莫胡							80	281	
	迷	莫兮							91	281	※周校：「莫，五代刻本韵書作魚，誤。」
	䁲	莫佳							94	281	
	埋	莫皆							95	281	
	枚	莫杯							96	281	
	珉	武巾							105	281	
	民	彌鄰							106	282	
	賣	莫懈							383	282	△「賣」為去聲，應置於「眄」（P275）前。
	門	莫奔							117	282	
	瞞	母官							126	282	※周校：「切三及敦煌王韵作武安切。案安字見寒韵，切韵王韵寒桓未分，此脣音合口字而以喉音開口字切之。」
	鑾	莫還							128	282	※林校：「此以喉音合口切脣音開口。」
	眠	莫賢							135	282	
	緜	武延							139	282	

編號	聲紐	切語	等	開合	韻類	韻值	古韻	系聯	廣韻	新編	備註
	蜱	彌遥							150	283	
	苗	武瀌							150	283	※周校：「瀌，日本宋本、中箱本、元泰定本、明本作瀌，音同。」
	茅	莫交							153	283	
	毛	莫袍							156	283	
	摩	莫婆							162	283	
	痲	莫霞							164	283	
	茫	莫郎							182	283	
	盲	武庚							184	283	
	甍	莫耕							188	283	
	名	武并							192	284	
	冥	莫經							197	284	
	瞢	武登							201	284	
	謀	莫浮							211	284	※周校：「切三作莫侯反。」
	呣	亡侯							215	284	
	繆	武彪							216	284	
	姏	武酣							225	284	
	蠓	莫孔							236	284	
	⿰尨鳥	莫湩							239	284	※林校：「⿰尨鳥字係冬韻上聲字（合口洪音）。」
	⿰亻尨	武項							240	284	※案：《存》作「⿰亻尨」。周校云：「北宋本、中箱本、黎本作⿰亻尨，注同，當據改。」
	靡	文彼							241	284	

號編	紐聲	切語	等	合開	類韻	值韻	韻古	聯系	韻廣	編新	備註
	渳	綿婢							245	285	
	美	無鄙							247	285	
	姥	莫補							264	285	
	米	莫禮							270	285	
	買	莫蟹							270	285	
	浼	武罪							272	285	
	穤	莫亥							274	285	
	愍	眉殞							276	285	※林校：「此以喉音合口切脣音開口。」
	泯	武盡							277	285	
	懣	模本							283	285	
	滿	莫旱							286	285	※周校：「五代刻本韵書作莫卯反。」林校：「旱在二十三旱，今據P二〇一四正作莫卯切。」
	矕	武板							287	285	
	⿰免且	武簡							287	285	
	搷	彌殄							289	285	
	緬	彌兖							292	285	
	免	亡辨							294	286	
	眇	亡沼							298	286	
	卯	莫飽							299	286	
	蓩	武道							303	286	
	麼	亡果							306	286	※周校：「切三及敦煌王韵作莫可反，是以牙音開口字切脣音合口字也。」

編號	聲紐	切語	等	開合	韻類	韻值	古韻	系聯	廣韻	新編	備註
	馬	莫下							307	286	
	乜	彌也							308	286	
	莽	模朗							314	286	
	皿	武永							316	286	※林校：「此以喉音合口切脣音開口。」
	猛	莫幸							316	286	※周校：「幸字在耿韻，楝亭本作杏，與切三合，當據正。」林校則據切三、全王作莫杏切。
	艋	武幸							317	287	
	眳	亡井							319	287	
	茗	莫迥							319	287	※林校：「此以喉音合口切脣音開口。」
	母	莫厚							325	287	
	[illegible]	謨敢							333	287	※周校：「切三作[illegible]。」
	[illegible]	明忝							336	287	
	㝱	莫鳳							343	287	
	幏	莫弄							343	287	
	雺	莫綜							344	287	
	郿	明祕							350	287	
	寐	彌二							353	287	
	暮	莫故							367	287	
	謎	莫計							373	287	
	眛	莫貝							383	287	※周校：「此字疑改作眛。」
	袂	彌弊							377	287	

編號	聲紐	切語	等	開合	韻類	韻值	古韻	系聯	廣韻	新編	備註
	昒	莫拜							386	287	
	邁	莫話							386	287	
	妹	莫佩							387	288	
	穤	莫代							390	288	
	悶	莫困							399	288	
	縵	莫半							404	288	
	慢	謨晏							405	288	
	蔄	亡莧							406	288	※周校:「故宮本、敦煌本王韻作莫莧反。」
	麪	莫甸							408	288	
	面	彌箭							409	288	※林校:「全王作彌戰反。」
	妙	彌笑							414	288	
	廟	眉召							414	288	
	皃	莫教							416	288	
	冃	莫報							417	288	
	磨	摸卧							420	288	
	禡	莫駕							421	288	
	漭	莫浪							428	288	
	命	眉病							429	288	
	孟	莫更							429	288	
	詺	彌正							431	289	

編號	聲紐	切語	等	開合	韻類	韻值	古韻	系聯	廣韻	新編	備註
	鼆	莫定							432	289	
	懵	武亘							434	289	※周校：「懵，故宮本敦煌本王韻均作懵，是也。」
	莓	亡救							437	289	
	茂	莫候							438	289	
	謬	靡幼							440	289	
	木	莫卜							452	289	
	目	莫六							459	289	
	瑁	莫沃							460	289	
	邈	莫角							465	289	
	蜜	彌畢							470	289	
	密	美畢							472	289	※周校：「美畢切與蜜字彌畢切音同，非也。切三及故宮本敦煌本王韻唐韻均作美筆反，是也。當據正。」林校亦同，
	没	莫勃							479	289	
	末	莫撥							485	290	
	㒝	莫八							489	290	
	礣	莫鎋							491	290	※案：《存》作「礣」。周校云：「礣字黎本作礣，是也。」
	蔑	莫結							494	290	
	滅	亡列							498	290	
	莫	慕各							504	290	
	陌	莫白							509	290	
	麥	莫獲							513	291	

編號			
聲紐	覓	𥈻	墨
切語	莫狄	亡逼	莫北
等			
開合			
韻類			
韻值			
古韻			
系聯			
廣韻	523	529	529
新編	291	291	291
備註			

《廣韻聲類手冊》討論統計表（紐）

一、系聯與討論：

系聯情形	問題所在	解決過程	討論結果	備註

二、反切上字統計表：

合計	被切字的等第與次數						反切	反切上字
	四	三			二	一		
		寅	丑	子				
總	共	共	共	共	共	共		共 字

合計	被切字的等第與次數						反切	反切上字
	四	三			二	一		
		寅	丑	子				
總	共	共	共	共	共	共		共 字

卷第五脣音 五、非

編號	聲紐	切語	等	開合	韻類	韻值	古韻	系聯	廣韻	新編	備註
	非	甫微							64	291	
	風	方戎							26	291	
	封	府容							35	291	
	跗	甫無							79	292	※林校：「切三、王一、全王作甫于反。」
	分	府文							111	292	
	蕃	甫煩							116	292	
	方	府良							174	292	※林校：「此以開口切合口。」
	不	甫鳩							208	292	
	覂	方勇							239	292	
	匪	府尾							255	292	
	甫	方矩							260	292	
	粉	方吻							278	293	
	反	府遠							281	293	
	昉	分网							313	293	※周校：「切三及故宮王韵作分兩反。」
	缶	方久							323	293	※周校：「故宮王韵此紐入厚韵。」
	腇	府犯							338	293	
	葑	方用							344	293	
	沸	方味							359	293	※林校：「王一、全王作府謂反。」
	付	方遇							366	293	
	廢	方胏							391	293	※案：《存》作「方胏切」。周、林皆校為「方肺切」。

編號	聲紐	切語	等	開合	韻類	韻值	古韻	系聯	廣韻	新編	備註
	糞	方問							396	293	
	販	方願							397	293	
	諷	方鳳							343	294	
	放	甫妄							426	294	
	富	方副							435	294	
	福	方六							453	294	
	轐	封曲							463	294	
	弗	分勿							475	294	
	髮	方伐							479	294	※案：《存》作「髮」。林校：「王二作方月反。」
	法	方乏							546	294	

《廣韻聲類手冊》討論統計表（紐）

一、系聯與討論：

系聯情形	問題所在	解決過程	討論結果	備註

二、反切上字統計表：

合計	被切字的等第與次數						反切	反切上字
	四	三			二	一		
		寅	丑	子				
總	共	共	共	共	共	共		共　字

合計	被切字的等第與次數						反切	反切上字
	四	三			二	一		
		寅	丑	子				
總	共	共	共	共	共	共		共　字

卷第五脣音六、敷

編號	聲紐	切語	等	開合	韻類	韻值	古韻	系聯	廣韻	新編	備註
	敷	芳無							78	294	
	豐	敷隆							27	295	
	峯	敷容							37	295	△《存》作「數容切」。
	霏	芳非							64	295	
	芬	敷文							112	295	※案：《存》《古》皆作「府文切」。周、林同校為「撫文切」。
	䬍	孚表							114	295	
	芳	敷方							178	295	
	捧	敷奉							238	295	
	斐	敷尾							255	295	
	撫	芳武							262	295	
	忿	敷粉							279	295	
	髣	妃兩							312	295	
	恒	芳否							325	296	
	秠	芳婦							325	296	
	釩	峯犯							338	296	
	賵	撫鳳							343	296	※案：《存》作「賵」。周校云：「賵，各本作賵，當據正。」
	費	芳未							359	296	
	赴	芳遇							365	296	※周校：「唐韵作方遇反，芳蓋方字之誤。」
	肺	芳廢							391	296	※案：《存》作「方廢切」。周、林皆校為「芳廢切」。
	嬔	芳万							398	296	

編號	聲紐	切語	等	開合	韻類	韻值	古韻	系聯	廣韻	新編	備註
	訪	敷亮							426	296	
	副	敷救							435	296	
	汎	孚梵							446	296	
	蝮	芳福							457	296	
	拂	敷勿							476	296	
	怫	拂伐							479	296	※周校：「切三及故宮王韻作匹伐反，類隔切也。」
	⿱雨溥	孚縛							504	296	
	𥎊	孚法							546	296	

《廣韻聲類手冊》討論統計表（紐）

一、系聯與討論：

系聯情形	問題所在	解決過程	討論結果	備註

二、反切上字統計表：

合計	被切字的等第與次數						反切	反切上字
	四	三			二	一		
		寅	丑	子				
總	共	共	共	共	共	共		共 字

合計	被切字的等第與次數						反切	反切上字
	四	三			二	一		
		寅	丑	子				
總	共	共	共	共	共	共		共 字

卷第五 脣音 七、奉

編號	聲紐	切語	等	開合	韻類	韻值	古韻	系聯	廣韻	新編	備註
	奉	扶隴							238	296	
	馮	房戎							26	296	
	逢	符容							36	296	
	肥	符非							64	297	
	扶	防無							77	297	
	汾	符分							110	297	
	煩	附袁							114	297	
	房	符方							173	298	
	浮	縛謀							211	298	※周校：「切三及敦煌王韻作薄謀反，案：薄縛聲不同類，故宮王韻作父謀反，與廣韻音同。」
	凡	符芝							231	298	
	膹	浮鬼							255	298	
	父	扶雨							262	298	
	憤	房吻							278	299	
	飯	扶晚							281	299	
	婦	房久							322	299	※周校：「此紐故宮王韻入厚韻，音防不反。案切三及敦煌王韻並在此韻。」
	范	防鋄							337	299	※周校：「故宮本敦煌本王韻音符凵反，與防鋄切音同。」
	鳳	馮貢							342	299	※林校：「鳳，馮貢切，貢字誤。」
	俸	扶用							344	299	
	鬻	扶沸							360	299	
	附	符遇							364	300	

編號	聲紐	切語	等	開合	韻類	韻值	古韻	系聯	廣韻	新編	備註
	吠	符廢							391	300	
	分	扶問							396	300	
	飯	符万							398	300	
	防	符況							427	300	
	復	扶富							436	300	
	梵	扶泛							446	300	
	伏	房六							453	300	
	幞	房玉							463	301	
	佛	符弗							476	301	
	伐	房越							477	301	※周校:「唐韻作戶越反，戶譌字也。」
	縛	符钁							503	301	
	乏	房法							546	301	

《廣韻聲類手冊》討論統計表（紐）

一、系聯與討論：

系聯情形	問題所在	解決過程	討論結果	備註

二、反切上字統計表：

合計	被切字的等第與次數						反切	反切上字
	四	三			二	一		
		寅	丑	子				
總	共	共	共	共	共	共		共　字

合計	被切字的等第與次數						反切	反切上字
	四	三			二	一		
		寅	丑	子				
總	共	共	共	共	共	共		共　字

卷第五脣音八、微

編號	聲紐	切語	等	開合	韻類	韻值	古韻	系聯	廣韻	新編	聲值	備註
	微	無非							63	301		
	無	武夫							72	301		
	文	無分							109	301		
	亡	武方							175	302		
	尾	無匪							254	302		
	武	文甫							261	302		
	吻	武粉							278	302		
	晚	無遠							281	302		
	网	文兩							312	302		
	鋄	亡范							337	303		
	未	無沸							358	303		
	務	亡遇							365	303		
	問	亡運							395	303		
	万	無販							397	303		
	妄	巫放							426	303		
	菱	妄泛							445	303		
	物	文弗							475	303		
	韈	望發							479	304		
	樠	武元							116	304		△「樠」為平聲，應在「文」「亡」兩字間。

《廣韻聲類手冊》討論統計表（一紐）

一、系聯與討論：

系聯情形	問題所在	解決過程	討論結果	備註

二、反切上字統計表：

反切上字	反切	被切字的等第與次數						合計
		一	二	三			四	
				子	丑	寅		
共　字		共	共	共	共	共	共	總

反切上字	反切	被切字的等第與次數						合計
		一	二	三			四	
				子	丑	寅		
共　字		共	共	共	共	共	共	總

ISBN 957-547-186-5